HACIA OTRA ESPAÑA

Cien años después

Colección dirigida por Juan Pablo Fusi

1.–GANIVET, ÁNGEL. *El idearium español,* con introducción de José Luis Abellán.

2.–UNAMUNO, MIGUEL DE. *En torno al casticismo,* con introducción de Jon Juaristi.

3.–AZORÍN. *La Voluntad,* con introducción de Antonio Ramos Gascón.

4.–MACÍAS PICAVEA, RICARDO. *El problema nacional,* con introducción de Andrés de Blas.

5.–MAEZTU, RAMIRO DE. *Hacia otra España,* con introducción de Javier Varela.

RAMIRO DE MAEZTU

HACIA
OTRA ESPAÑA

Introducción
de
Javier Varela

BIBLIOTECA NUEVA

Ninguna parte de esta publicación, incluido el diseño de la
cubierta, puede ser reproducida, almacenada o transmitida de
manera alguna ni por ningún medio, ya sea eléctrico, químico,
mecánico, óptico, de grabación o de fotocomposición, sin permiso
previo del editor.

100162054b

© Herederos de Ramiro de Maeztu, 1997
© Editorial Biblioteca Nueva, S. L. Madrid, 1997
Almagro, 38. Tel.: 310 04 36
28010 Madrid (España)

ISBN: 84-7030-432-1
Depósito Legal: M-11.949-1997

Impreso en: Rógar, S. A.
Printed in Spain

ÍNDICE

LIMINAR

Juan Pablo Fusi 9

Nota biográfica 11

Introducción Javier Varela 17

HACIA OTRA ESPAÑA

Dos palabras 49

I. Páginas sueltas 53
    Nuestra educación 55
    Gente de letras 59
    Parálisis progresiva 63
    Las quejas de Raventós 65
    En la Huerta 69
    Símbolos 71
    La propaganda del crimen 73
    ¡Aún es poco! 75
    El himno boliviano 79
    El Czar en París 81
    El desarme 83
    De fiesta 85

Eusebio Blasco 87
Bilbao 89

II. De las guerras 93

De las guerras 95
Un indulto 97
27.500 99
La inferioridad del indio 101
Una novela de Loti 103
Un suicidio 107
Frente al conflicto (*fragmentos*) 111
La marcha del regimiento 121
El «sí» a la muerte 125
Sobre el discurso de Lord Salisbury 127
El general Leyenda 131
Tradición y crítica 135
La vara de medir 137
El «sí» a la vida 139
Responsabilidades 141
Dolor que pasa 145

III. Hacia otra España 147

Lo que nos queda 149
La Prensa 153

  I. Su delito 153
  II. Los diarios madrileños y la vida nacional 158
  III. Los periodistas y la política 160

La meseta castellana 167
La Asamblea de Zaragoza 173
Las dos marinas 179
El separatismo peninsular y la hegemonía vasco-
  catalana 187
Contra la noción de la justicia 203

  I. Cómo trabajan los pensadores nuevos 203
  II. Cómo se hará la nueva España 213

[8]

LIMINAR

En 1898, tras una breve guerra con los Estados Unidos, España perdió Cuba, Puerto Rico y Filipinas. En contraste con su formidable pasado imperial, iba a ser en adelante una nación modesta, sin apenas influencia en la vida internacional. El desastre del 98 provocó una profunda crisis de la conciencia nacional, al menos en el ámbito intelectual, anticipada en los años anteriores por Unamuno y Ganivet.

Fue una intensa reflexión sobre la esencia de España que tuvo como manifestaciones el pesimismo de los hombres de la generación del 98 y la preocupación crítica –más cultural y aún política– de la generación del 14, la generación de Ortega y Azaña. Cristalizó así –al hilo de una producción literaria y ensayística de calidad excepcional– la idea de «España como preocupación», de España como problema, una forma de meditación esencialista sobre la realidad española que iba, además, a impregnar decisivamente la vida intelectual del país (y, en parte, la vida política) a lo largo del siglo XX.

Es eso precisamente lo que hace que, cien años después, el legado del 98 siga radicalmente vigente.

JUAN PABLO FUSI

Nota biográfica

Ramiro de Maeztu Whitney nació en Vitoria el 4 de mayo de 1874 y murió en Aravaca (Madrid) el 29 de octubre de 1936. Hijo de Manuel de Maeztu, nacido en Cuba aunque de ascendencia vasconavarra, educado en París y fundador en Vitoria del periódico *ABC*, y de la hija del cónsul inglés Juana Whitney, de religión protestante.

De 1882 a 1887, Maeztu estudia el bachillerato en el Instituto de su ciudad natal, obteniendo brillantes calificaciones en Matemáticas, Retórica e Historia; en esta misma época escribe versos apasionados a imitación de su gran admirado poeta romántico Espronceda.

A los quince años, y como consecuencia del empobrecimiento paulatino de su familia, emprende viaje a París donde trabaja en un comercio siendo despedido unos meses después regresando a España donde permanecerá temporalmente hasta su marcha a Cuba, donde su abuelo Francisco de Maeztu y Eraso, guardia de Corps, había conseguido una sustanciosa fortuna. En Cuba «pesó azúcar, pintó chimeneas y paredes, empujó carros de masa cocida, cobró recibos, fue dependiente de vidriera de cambio, lector de una fábrica de tabacos[1], etc.».

En 1894 Maeztu, visiblemente enfermo y a petición de su madre, regresa a España «convencido de no ser útil para nada y resuelto a morirme tranquilo en la ciudad donde nací». Gracias a las gestiones de Juana Whitney, viuda ya de Manuel de Maeztu, inicia su carrera periodística en *El Porvenir Vascongado* interviniendo en innumerables luchas políticas que prolongará con su colaboración en el *Heraldo de Madrid, Nuevo Mundo, La Correspondencia de*

---

[1] J. L. Vázquez-Dodero cita en la biografía realizada sobre Ramiro de Maeztu que «hacía oír su voz ante centenares de cigarreros y que en ocasiones traducía del inglés o del francés, o imponía su criterio en la selección de libros».

España, El Sol, El Imparcial, El País, España, Germinal (en recuerdo de la obra homónima de Zola), *Alma Española, La Época,* etc., en este último diario se amparó bajo el seudónimo de *Cualquiera.*

Durante el período 1897-1905 se instala en Madrid formando la trinca de «los tres»: Azorín, Baroja y Maeztu.

En 1898 ante la posible amenaza de la escuadra norteamericana, participó como voluntario en las tropas enviadas por el Gobierno a Baleares. En esta época, Ramiro de Maeztu abandona las letras y se alista en el Ejército.

En 1905 viaja a Londres prolongando su labor periodística como redactor corresponsal de *La Correspondencia de España,* residiendo en Inglaterra hasta el verano de 1919, alternando dicha estancia con sus consecutivos viajes: Berlín, Marburgo, España, Francia, Flandes, Italia, etc.; en este último país realizó crónicas sobre la Guerra europea desde 1914 hasta 1915.

Tras contraer matrimonio «con una bella y dulce inglesa», *miss* Alice Mabel Hill, regresa a España; primero, a Madrid instalándose, posteriormente, en 1920, en Barcelona y relacionándose con la intelectualidad catalana del momento.

Al sobrevenir el Golpe de Estado de 13 de septiembre de 1923, se le ofreció la Subsecretaría de Instrucción Pública con atribuciones de Ministro; pero Maeztu no quiso nunca dejar de escribir a pesar de la presentación en 1925 de una cartera.

En junio de 1925 viaja a Estados Unidos pronunciando diversas conferencias sobre temas españoles consiguiendo el reconocimiento de más de doscientos intelectuales norteamericanos en un homenaje rendido en Middlebury.

A finales de 1927 y durante la Dictadura de Primo de Rivera fue designado embajador en Argentina, cargo que desempeñó entusiasmadamente hasta febrero de 1930.

Ramiro de Maeztu fue diputado monárquico en las Cortes republicanas; en 1932 obtuvo el premio Luca de Tena y en este mismo año, en febrero, ingresó en la Academia de Ciencias Morales y Políticas; poco tiempo después sería detenido y encarcelado con motivo de la rebelión militar del 10 de agosto.

Posteriormente, en junio de 1935 ingresa como académico en la Real Academia de la Lengua.

Con el estallido de la Guerra Civil española y gracias a la generosidad de su joven discípulo José Luis Vázquez-Dodero, Maeztu se refugia en su casa el 17 de julio de 1936, probablemente presagiando su inminente muerte hasta que el 30 de julio de 1936 son descubiertos y detenidos.

Finalmente, desde el 30 de julio al 29 de octubre de 1936 permanece en la cárcel de Ventas (Madrid)[2] «preparándose para

---

[2] Conocida popularmente como cárcel de mujeres. Actualmente está ubicada una modernísima urbanización denominada Parque Isabel II perteneciente a la Junta Municipal de Salamanca, en la cual se conserva, como últi-

morir» hasta que en la madrugada del 28 de octubre, tras pedir la absolución a un sacerdote compañero de celda, muere fusilado a pesar de las inútiles gestiones realizadas por las embajadas inglesa y argentina. En esta última fase de su vida, Maeztu pronunció aquellas famosas palabras: «¡Vosotros no sabéis por qué me matáis! ¡Yo sí sé porque muero: porque vuestros hijos sean mejores que vosotros!»

Ramiro de Maeztu fue un afamado pensador, publicista, político y, fundamentalmente, un gran periodista cuyo pensamiento fue descubriendo a través de artículos de prensa, conferencias y libros.

Respecto a su producción literaria, dispersa pero no muy voluminosa, podemos destacar los siguientes títulos: *Hacia otra España* (1899), *La guerra del Transvaal y los misterios de la Banca de Londres* (1900-1901)[3], *Inglaterra en armas* (1916)[4], *La crisis del humanismo* (1919)[5], *Don Quijote, Don Juan y la Celestina* (1926), *Defensa de la Hispanidad* (1934)[6], etc.

---

mo vestigio de aquella significativa institución, entre otros corredores y galerías subterráneos, una morera.

[3] Maeztu ocultándose bajo el seudónimo de *Van Poel Krupp*, publicó esta novela que apareció como folletín de *El País* desde el 1 de abril de 1900 hasta el 6 de enero de 1901.

[4] Se trata de una recopilación de sus continuas crónicas.

[5] Originalmente escrito y publicado en inglés bajo la denominación *Authority, Liberty and Function The Light of the War* (1916).

[6] Se publicó primero en las páginas de la revista *Acción Española* de corte antirrepublicana y antimarxista que en diciembre de 1931 fundara Ramiro de Maeztu junto al marqués de Quintanar y Eugenio Vegas.

INTRODUCCIÓN

Ramiro de Maeztu es un escritor perteneciente a la Generación del 98. El núcleo fundador de este grupo fueron «los tres»: Azorín, Baroja y Maeztu; tres jóvenes procedentes de la periferia española, vasca y levantina, que se hicieron amigos en las tertulias y las mesas de redacción del Madrid de finales de siglo. De vasconia procedían tambіén Miguel de Unamuno y José María Salaverría. De la periferia asturiana venía Ramón Menéndez Pidal, el gran historiador, muchos de cuyos temas guardan estrecho parentesco con los de esta generación.

El 98 es el primer grupo intelectual en sentido moderno. Es precisamente entonces cuando aparece el término «intelectual», figura no definida enteramente por su estatus social, sino por su relación con la política. Son hombres que viven de la pluma, que conciben su intervención en la política como corporación. No es casual que la primera aparición pública de esta generación se produzca en enero de 1901, con motivo del estreno teatral de la *Electra* de Pérez Galdós; un acontecimiento que tuvo, por la agitación anticlerical que levantó, inmediatas repercusiones políticas.

Quizá sea Maeztu, junto con Salaverría, el miembro menos conocido del grupo. En realidad, sólo publicó tres libros a lo largo de su vida: *Hacia otra España*

(1899), *La crisis del humanismo* (1919) y *Defensa de la hispanidad* (1934), aparte de algunas, muy pocas, conferencias sueltas. Un escaso número si lo comparamos con la bibliografía maciza de Baroja o Azorín. A excepción de algunos tanteos juveniles, Maeztu no cultivó la novela, ni el teatro, ni cualquier otro género relacionado con la creación literaria. Su dedicación única fue el periodismo político. En este género de escritura fue prolífico: cientos y cientos de artículos destinados a la prensa española e hispanoamericana más importante. Maeztu fue el periodista –muy influyente en su tiempo– y el miembro más interesado en la política de su generación.

UNA HERENCIA CONTRADICTORIA

Ramiro de Maeztu nació en Vitoria, el 4 de mayo de 1874. Sus padres se llamaban Manuel de Maeztu y Juana Whitney. La familia tiene un lejano origen hidalgo, en la población de Marañón, junto a Viana de Navarra, que sube hasta el siglo XVI. Los Maeztu son, en el XIX, un grupo complejo, original. Francisco de Maeztu y Eraso, el abuelo paterno, había emigrado a Cuba. En 1845 estaba empleado en la aduana de La Habana, como «guardaalmacén de efectos voluminosos». El matrimonio afortunado con Ana Rodríguez –una viuda rica y cargada de hijos–, en 1848, lo elevó de golpe a propietario esclavista de ingenios azucareros, en los alrededores de Cienfuegos. Francisco era amigo o protegido del marqués de Viluma, figura destacada del moderantismo español que trataba de llegar a un entendimiento con el carlismo. Siendo Viluma ministro de Ultramar, en 1844, se otorgó a Francisco de Maeztu el título de caballero de la orden de Carlos III. Viluma era hermano de Juan Pezuela, conde de Cheste, uno de los espadones del partido moderado, que fue capitán general de Cuba entre 1853 y 1854. Viluma, por fin, apadrinó a Manuel de Maeztu, el padre del escritor.

Francisco de Maeztu murió en España, en 1865, convertido en opulento rentista y caballero de simpatías moderadas. Entre los pocos libros que figuran en su testamentaría están las obras de Jaime Balmes. De su figura, quizá, arranca la leyenda de los orígenes aristocráticos; un mito que formará parte de la «novela familiar» de los Maeztu.

Los tres hijos habidos en el matrimonio entre Francisco y Ana –Juan Miguel, Manuel y Ramiro– fueron educados en Francia. En este país fue donde Manuel conoció a Juana Whitney, hija del cónsul inglés en Niza. Manuel y su hermano Ramiro se establecieron en Vitoria, forzados probablemente por la guerra carlista. Muchos vecinos tildados de liberales huyeron entonces de villas y lugares –como Marañón–, dominados por las partidas facciosas. Ramiro, tío del escritor, fue alférez de la milicia nacional de Vitoria. Su nombre aparece asociado en las efemérides locales al nuevo deporte ciclista y a las carreras de caballos: competía este primer Ramiro con una yegua de su propiedad llamada «Gómez», quizá por burla del insurrecto cubano Máximo Gómez. Manuel participa en la vida cultural de la ciudad. En el Ateneo –«palenque abierto a las inteligencias»– se discutían novedades intelectuales como el evolucionismo. El gusto literario era romántico, al estilo de Núñez de Arce. Manuel de Maeztu llegó a ser presidente de la sección de literatura. Junto con otros amigos –militares progresistas de la guarnición, afiliado alguno a la masonería– será fundador en 1882 de un periodiquito efímero, el *ABC*, título sacado de *Los Miserables* de Víctor Hugo. Esta generación de los Maeztu es liberal, estrechamente relacionada con el republicanismo moderado de Emilio Castelar; una tendencia política que encabezaba en Vitoria el activo editor, periodista y empresario Fermín Herrán.

El joven Ramiro de Maeztu dirá más tarde haber tenido una infancia feliz. El tren de su casa era señorial: caballos, carruajes, criados, etc. Una prodigalidad hospitalaria hacía de ella, en expresión de su hermana María, una mezcla de ateneo y restaurante. Juana Whitney no era una mujer común. En Vitoria era conocida como «la francesita», y parece que el francés era lengua muy usada en el hogar. Cuando llegó el momento, demostró

[19]

que podía valerse por sí misma. La familia Maeztu podría apoyar la tesis que sostiene la fecundidad del choque cultural (para el caso, francés, inglés, cubano y español). De los cinco hijos que tuvieron Manuel y Juana, tres llegaron a ser conocidos en el mundo intelectual español: el escritor Ramiro, el pintor Gustavo y María, la pedagoga.

La educación de Ramiro, el primogénito, fue especial; una educación exigente, regulada al detalle por su padre: ejercicios físicos, equitación, esgrima, etc., aparte de una severa disciplina intelectual. María contó que su hermano mayor aprendió a leer en los dramas de Shakespeare y de Schiller. Ramiro, el sujeto paciente, dirá que su padre quiso hacer de él un caballero, un atleta y un sabio. En cierto modo, es una educación que recuerda la que James Mill proporcionó a su hijo John Stuart Mill. El ideal paterno siempre estará muy presente en la vida de Ramiro, aunque fuera para librarse de él, en su época de joven rebelde.

Los bienes familiares, por desdicha, se disiparon poco a poco. Los ingenios cubanos –que tampoco eran grandes– estaban gravados con hipotecas desde los años sesenta. Probablemente sufrieron los efectos de la primera guerra cubana tanto como los de una administración no muy cuidada. A fines de los ochenta, los muebles, las alhajas y las libreas se esfuman. En su lugar aparece la hórrida figura del acreedor o del prestamista. Ramiro, el chico aplicado y prometedor, que termina el bachillerato con sobresaliente en 1887, tiene que ingresar en un colegio vitoriano para teneduría de libros y contabilidad. Vitoria era una ciudad mesocrática; los contrastes sociales no eran abruptos, pero existían. Un cronista contemporáneo, Becerro de Bengoa, nos dice que los vitorianos tenían en la Florida –y tienen hoy todavía– uno de sus paseos favoritos. Artesanos, sirvientes, costureras y militares circulaban paralelamente, pero sin mezclarse, a las «clases más elegantes». El espectáculo de la súbita decadencia familiar tuvo forzosamente que turbar la identidad social y personal del joven Ramiro. Ya no podría ser ni el señorito a que estaba destinado, ni el trabajador manual o el empleado a que parecía destinarle la fortuna desgraciada. En lo sucesivo será alguien que tuvo arraigo, y de ello guardará duradera nostalgia, aunque lo perdió sin remedio; una «boya desamarrada», a merced de todos los vientos, dirá de sí mismo; alguien muy semejante a un deraciné barresiano.

Una fugaz experiencia mercantil, en París, con un pariente materno, no resultó muy feliz. En enero de 1891, el joven Ramiro se dirige a Cuba, cuando la ruina paterna está a punto de consumarse. En Cuba trabajó en un ingenio durante una zafra entera, doce horas cada día, entre tachos, bombas y calderas, empujando carros de masa cocida; «narigonero» se llamaba al mozalbete que, «halando» por las narices a los bueyes, traía y llevaba las «fragatas» de caña. Luego fue dependiente en una oficina de cambio, y también cobró recibos por las calles de La Habana. En 1893 ejerció como lector en una fábrica de tabaco. Cuba era, en muchos aspectos, un país mucho más avanzado que la metrópoli española. A lo largo del siglo había pasado por una verdadera revolución industrial. Tenía ese impulso de los países nuevos, ese ardor de los negocios, que sorprendía al peninsular recién llegado. La movilidad social era grande. «Todos aquí trapicheamos y especulamos», decía Dionisio Alcalá Galiano, un testigo de vista de ilustre ascendencia. Repárese en que trapichear, o sea, negociar al por menor, es voz de origen cubano que viene de trapiche: molino de caña. El ingenio azucarero, el de mayores dimensiones, el Central, era una factoría cruzada por líneas de ferrocarril, con maquinaria modernísima, servido por líneas telefónicas. La fábrica habanera, en la que trabajó Ramiro, era una de las cien que se dedicaban a la manufactura del tabaco. Junto a las clásicas elaboraciones manuales, el tabaco propiamente dicho, había artilugios capaces de hacer cuatrocientos mil pitillos diarios. Los gremios de los tabaqueros eran importantes. Formados por trabajadores asalariados, pero cualificados, poseedores de un oficio. Los tabaqueros eran obreros aseñoritados, con sus manchados ternos de cachemir francés, camisa de seda desgarrada y zapatos de charol. Aparte de eso, era gente preocupada por

[21]

su formación cultural. Eran ellos, y no la empresa, quienes pagaban a escote a Maeztu por leerles cuatro horas diarias. El joven lector estipendiado tuvo que enterarse por fuerza de lo que eran las organizaciones societarias y las modernas ideas sociales. Los textos que leía durante el día, a veces traducidos con prisa durante la noche, a menudo le eran impuestos por un comité de lectura; en ocasiones, los escogía él mismo. Eran trozos de Kropotkin, Marx, Schopenhauer, Galdós, Ibsen o Sudermann. Cuatrocientos trabajadores en un salón asfixiante; mulatos, negros, criollos o peninsulares; de repente, suspendían la labor para escuchar las palabras de Hedda Gabler, recitadas por el singular lector. Entre estos tropicales devotos de Ibsen germinaba ya el aborrecimiento a la metrópoli; lo mismo que en otros sectores de la sociedad cubana: los españoles eran unos amos que ofrecían muy poco a cambio de su dominio. Pero Maeztu no vio el desenlace. En las primeros meses de 1894, medio derrengado por la fiebre amarilla, se embarcó hacia la península. Su padre morirá en Cuba, en 1898, nada más producirse la independencia de la isla.

De chico de la prensa a periodista

Ramiro de Maeztu se inició en el periodismo desde la redacción de *El Porvenir Vascongado*, en Bilbao. *El Porvenir* estaba dirigido por Bernardo Acha, un alavés amigo de Fermín Herrán y de su misma filiación política. La relación con la familia Maeztu parece evidente. Es probable que fuera Juana Whitney la que, de nuevo, encontrase colocación para su hijo. El Bilbao de fin de siglo era una ciudad que pasaba por un frenesí industrializador: chimeneas, tranvías y alumbrado eléctrico, nuevas construcciones del ensanche, tráfico incesante en la ría. Los emigrantes se hacinaban entre el paisaje despanzurrado de las zonas mineras, cuna del incipiente socialismo. El dinero nuevo lo revolvía todo. Un cuadro de inestabilidad que los nostálgicos del «bochito», del sosiego perdido, deploraban desde lo más profundo de su ser: «la transformación se ha verificado con tanta rapidez que parece hecha por arte de encantamiento», escribe Emiliano de Arriaga. Un estado de ánimo del que se alimenta el primer nacionalismo vasco. La vida local estaba estrictamente controlada por los grandes capitanes de industria: hombres de empuje, que no retrocedían ante un negocio arriesgado ni ante una cacicada clamorosa. Los periódicos, en su mayoría, venían a ser como el tornavoz de estos empresarios. *El Porvenir*, aunque de obediencia castelarina, apoyaba a Martínez Rivas. Víctor Chávarri disponía, entre otros, del *Diario de Bilbao*; Cosme Echevarrieta de *Las Noticias*. Las etiquetas políticas liberal o conservadora no significaban gran cosa. Eran liberales o conservadores alternativa o sucesivamente, según conviniera. Antes que nada son dirigentes o cabecillas del moderno empresariado vizcaíno; sobre todo lo es Chávarri, don Víctor, el más poderoso de todos, el impulsor de la acción política en favor de la protección arancelaria.

Sabemos poco de la actividad periodística de Maeztu en este período. Los ejemplares de *El Porvenir* correspondientes a estos años han desaparecido. En todo caso, lo que empezó como un trabajo aceptado por necesidad –«hinchar» telegramas, redactar noticias– terminará por ser la vocación de su vida. Parece que su primer artículo se publicó en octubre de 1894. Hay testimonios que señalan la naturaleza combativa del joven periodista. Maeztu era ya un defensor de las ideas individualistas, un apologista de la lucha por la vida como estímulo del progreso, del necesario triunfo de los más capaces. Unas ideas con las que polemizaba *La lucha de clases*, órgano del socialismo bilbaíno. Su director, el no menos combativo Valentín Hernández, alude en varias ocasiones a «Ramirito», al «chico de *El Porvenir*», calificándole como «darwinista rabioso»; atribuyéndole una vida, digámoslo así, un tanto disipada y bohemia. Entre ambos periodistas se creó una rivalidad acerba que, como demuestran hechos posteriores, no estaba exenta de simpatía mutua.

«Ramirito» tuvo algo que ver con la elección parlamentaria que, en abril de 1896, enfrentó a Chávarri y Martínez Rivas, así en el distrito de Bilbao como en el de Valmaseda. Lo que era tanto como decir Altos Hornos de Bilbao contra Astilleros del Nervión. A Rivas le apoyaban Cosme Echevarrieta y los periodistas de *El Porvenir*. El dinero circuló a mansalva: «era espectáculo interesante el ver salir de la calle de La Estufa los landós con las talegas y fajos de billetes en el fondo, y dos empleados y dos guardias civiles armados en los asientos» (según José de Orueta: *Memorias de un bilbaíno*). La gente, previamente aleccionada, echaba el voto a la urna y espetaba al presidente de la mesa: «ahora vengan las perras». Los fraudes de todo género fueron descomunales. Rivas ganó en Bilbao y Benigno Chávarri, pariente de don Víctor, en Valmaseda.

El «chico de *El Porvenir*», «ese mocoso», como también le llama Hernández, trataba de organizar, en mayo del 96, una huelga de periodistas bilbaínos, para lograr el descanso dominical. Entre su periódico y los que representaban a don Víctor siguieron cruzándose los más feroces insultos. Y eso, además de perder una elección, era algo que «nuestro señor» no podía perdonar. En julio de 1896, Chávarri arrebató a *El Porvenir* las máquinas, los tipos y hasta el título. En adelante, el periódico de Maeztu saldrá llamándose *El Porvenir Vasco*, lanzando una campaña contra las autoridades provinciales a la devoción de don Víctor. La salida de Maeztu de Bilbao guarda relación estrecha con estas luchas. Excedente de cupo, la voluntad omnímoda de «nuestro señor» acabó por llevarlo a filas. María de Maeztu lo contó en un artículo publicado en *El Día*, de La Habana (19 de octubre de 1913).

A Madrid llegó Maeztu, vestido de soldado, con su oficio de periodista a cuestas, a comienzos de 1897. La primera publicación en la que colaboró fue *Germinal*, una de las efímeras revistas de gente aficionada a la literatura. Su director era Joaquín Dicenta, periodista bohemio y mosquetero consumado, autor teatral de éxito, a quien Maeztu conocía desde el estreno de *Juan José* en Bilbao, en diciembre del 96. *Germinal*, que es título sacado de la conocida novela social de Zola, congregó a un grupo de escritores: Eduardo Zamacois, Antonio Palomero, Rafael Delorme, Manuel Paso, Ricardo Fuente, de bohemia impenitente, más o menos cercanos al republicanismo. Eran hombres de un confuso radicalismo sentimental, pues lo mismo citaban con fervor a escritores ácratas que ponían por modelo las enseñanzas de Cristo. Uno de ellos, Delorme, podría tomarse como caso extremo; tenía un temperamento algo desquiciado, oscilando entre la exaltación súbita y el abatimiento no menos repentino; de él solían citarse los pantalones deshilachados, el gabán inverosímil por lo enorme, sus alternativas de prosperidad y miseria; alguno de sus amigos le vio llorar por los males de la sociedad. Delorme murió muy pronto, en noviembre de 1897. Sus compañeros –Maeztu entre ellos– le llevaron una corona al hospital de La Princesa; el cuarto donde estaba el ataúd era tan oscuro que tuvieron que alumbrarse con una cerilla; una escena típicamente barojiana.

El grupo de *Germinal* –«republicanos socialistas» se decían– pasó casi en bloque a hacerse cargo de la redacción de *El País*, en octubre de 1897, abandonada poco antes por Alejandro Lerroux. *El País* era un diario republicano, uno de los más importantes, de antigua obediencia zorrillista, propiedad de Antonio Catena. Era casi voz pública que Catena tenía abiertas varias casas de juego, que eran su verdadero negocio. La mayoría de los escritores jóvenes, en uno u otro momento, pasaron por este periódico, tomándolo como trampolín para empeños más altos. Azorín inició en él su carrera en Madrid, firmando artículos tremebundos. Baroja también, aunque algo más tarde. *El País* pagaba poco o nada a sus colaboradores. El periodista de fin de siglo, a veces joven aspirante a literato, tenía que derrochar ingenio y picardía para ir tirando. Su redacción, en la calle de La Madera, se hizo célebre en la bohemia intelectual madrileña: paredes rojas y columnas doradas, divanes también rojos, larga mesa de pino denegrido, una docena de sillas lisiadas, colecciones de periódicos atrasados ensartados en listones, un retrato de Castelar en el testero de la sala. En este periódico publicó Maeztu cuentos y artículos usando, como en *Germinal*, del acrónimo Rotuney para firmar sobre todo los de asunto político, los que podían comprometerle por su condición de soldado.

[25]

El joven destaca por su pluma acerada y su apariencia personal. Las facciones son móviles; los cambios de humor constantes; rápido y brusco el gesto, como desazonado. Muy bien vestido de chistera y levita, descomunales cuellos de plastrón, cuidado bigote, en contraste con los chambergos, la revuelta pelambre y el aire desastrado de sus colegas. Maeztu es un dandy, y no oculta en sus escritos el desprecio que le causa la golfería periodística. Admira a Espronceda y a Larra. Es audaz, bien plantado y un tanto extravagante. Ciges Aparicio, en su obra *Del periodismo y de la política*, relata una de sus ruidosas apariciones en la redacción, acompañado de la joven literatura noctámbula, brincando por encima de las sillas, dando volteretas, derrochando vitalidad, hecho un apologista del superhombre nietzscheano y de la fuerza física.

De *El País* a *Vida Nueva*, la revista dirigida por Eusebio Blasco, que tanto se distinguió por su campaña contra las torturas a los anarquistas presos en Montjuich. De *La España Moderna* a la *Revista Nueva*, entre 1898 y principios de 1899, donde encontramos ya reunidos a los escritores jóvenes –Valle Inclán, Baroja, Azorín, Unamuno, etc.–. Era duro abrirse paso en el periodismo madrileño. Mientras tanto, seguían las colaboraciones de Maeztu en *El Porvenir Vasco*, bajo el seudónimo de *Rodrigo Mañaria;* ficticio apellido que evoca el de Miguel de Mañara, el piadoso caballero sevillano al que la leyenda romántica atribuyó un pasado donjuanesco: una figura calcada de *El Burlador*. En 1899 aparecería su primer libro, *Hacia otra España*, recopilación de artículos ya publicados con algún que otro inédito. El joven dandy, escritor brioso, reclamaba la atención de sus contemporáneos. Pronto se le abrirán los grandes diarios madrileños. La llegada a la cima de la profesión, entre 1900 y 1904, será rapidísima.

Los fragmentos y artículos que componen el libro se ordenan en tres partes tituladas: páginas sueltas, de las guerras y hacia otra España; es decir, el origen inmediato del desastre colonial, su desenlace y las perspectivas de regeneración que se abren a la nación española. El texto más antiguo está firmado en agosto de 1896, durante la época bilbaína. La mayoría es posterior a su llegada a Madrid. Una especial consideración se otorga en muchas partes al papel de la prensa, a su responsabilidad y función. La obra termina con el comentario de la agitación desencadenada por las Cámaras de Comercio y el programa de Joaquín Costa. *Hacia otra España* no es, pues, un libro articulado. Es más bien un conjunto de impresiones o de reflexiones coleccionadas al azar de los acontecimientos. *Hacia otra España*, publicada originalmente en Bilbao, en la Biblioteca Vascongada de Fermín Herrán, fue reeditada en 1967 por Rialp, con una introducción de Vicente Marrero.

1.– *De la guerra*

Maeztu fue, de entre todos los escritores jóvenes, el que más cerca vivió el desastre colonial. Lo primero, por sus orígenes familiares y conocimiento directo de Cuba. Tenemos noticia de que ya publicaba artículos sobre la guerra en *El Porvenir Vascongado*. Su posición era favorable al abandono de la isla, por juzgar imposible la permanencia española en ella. La suya era una simple constatación de hechos; el resultado de un análisis sociológico. La guerra en Cuba es una lucha de la ciudad contra el campo. La causa española está sostenida por comerciantes y funcionarios rapaces. La metrópoli es débil y no puede ganar. Maeztu, pues, no alude a ningún principio moral o jurídico que pudiera amparar a los insurrectos. Los recursos y las vidas españolas dilapidadas en la manigua cubana han de servir mejor para remedio de las carencias nacionales: «¡ah! si yo fuera gobernante, cuán poco tardaría en poner fin a esta hemorragia operada en el cuerpo de un anémico». Ahora bien, por razonable que parezca esta conclusión, era muy rara y minoritaria en la opinión española. Basta con observar las actitudes de políticos, periodistas y militares para darse cuenta de ello. Los valores que dominaban en ella son, aparte del patriotismo exaltado, los propios de un mundo aristocrático y caballeresco. «Salvar el honor», titulaba *El Imparcial*. «El punto de honra», señalaba *La Época*. De «impulsos de honra» hablaba la prensa militar. Valor heroico de los descendientes del Dos de Mayo frente a insurrectos desagradecidos y a tocineros norteamericanos, de dudosa capacidad guerrera. Los periódicos republicanos no iban en la zaga de esta retórica del honor ofendido. Al contrario: lo propio de esta corriente, lo mismo que de la carlista, lo característico de quienes se decían enemigos jurados de la Restauración, era tratar de sobrepujar a ésta en la defensa del patriotismo. Un patriotismo bullanguero, identificado con las glorias pasadas, con los recuerdos de Sagunto, Numancia y Pelayo, ciego a los problemas del presente español. La redacción de *El País*, la que toma el relevo entre octubre de 1897 y comienzos de 1898, se expresa en tono discordante. Maeztu se atribuirá más tarde haber tenido una parte decisiva en este criterio, probablemente con razón.

Pero, descontado el conocimiento de Cuba, Maeztu vivió el desenlace de la guerra colonial como soldado. No fueron sus circunstancias semejantes a las de un melancólico Unamuno, aislado en una dehesa, negándose a recibir noticias del conflicto. En 1898, ante la inminencia de la entrada en guerra de los Estados Unidos, el gobierno español decidió reforzar las defensas costeras de la península. El batallón Canarias, del que formaba parte Maeztu, salió de Madrid, vía Barcelona, hacia la isla de Mallorca. «La marcha del regimiento», incluido en *Hacia otra España*, es el relato autobiográfico de la partida de la unidad. Un relato curioso en el que los soldados, abismados en sus pensamientos, recordando lo que dejan atrás, aislados unos de otros, se enderezan y vibran al unísono al sonar la música militar. Una narración que viene a ilustrar la fusión del individuo aislado en el yo común e indiferenciado, por obra de la marcial disciplina y la emoción patriótica. Un texto que marcha a contracorriente de la moral individualista acérrima que dice profesar Maeztu en esta época. Resulta de ello una ambigüedad, mezcla dificilísima entre estas «dos tendencias» a las que alude en otro lugar del libro: la heroica o histórica y la positivista; herencia contradictoria que siempre acompañará al personaje.

Algunas fotografías del semanario *Nuevo Mundo* nos muestran la salida del tren militar en el que va Maeztu, congregado el público junto a la vía, agitando banderas. El testimonio gráfico corrobora el ambiente de entusiasmo al que alude el narrador. La guerra del 98 fue popular, hasta donde podemos juzgar; popular, sobre todo, entre quienes tenían medios económicos para eludir el tributo de sangre. El recibimiento de los expedicionarios en Palma, el 28 de abril, fue ruidosísimo; idéntico al que se había dispensado al regimiento Wad Ras el día anterior: público congregado en los muelles, balcones engalanados, desfile y la inevitable marcha de Cádiz. Las muchachas palmesanas llevaban atados a la cintura los colores nacionales, según una costumbre extendida en aquellos días; Maeztu había ironizado ya sobre el asunto con unos ripios: «En estas horas de anhelosa espera / llevan nuestras más lindas criaturas / la nacional bandera en las cinturas /.../ ¡Ay! ¡Quien pudiera / perecer abrazado a la bandera!» (*El Nuevo País*, 8 de abril de 1898). Al verificarse los alojamientos de la tropa, decía la prensa mallorquina, los vecinos se disputaban a los soldados sin cobrar nada. La despedida del batallón de Canarias, con el general Barraquer al frente, fue «entusiasta». Sabemos que la unidad inició una serie de marchas y contramarchas por el interior: Inca, Pollensa, Alcudia y Manacor; que las tropas eran recibidas «con verdadero entusiasmo», siendo muy agasajadas por la población. La entrada en Inca fue muy notable: el alcalde dando vivas a España, a los reyes (sic), al ejército y al batallón, que eran «frenéticamente» contestados desde el público; de los lugares vecinos había llegado mucha gente para ver el desfile; el entusiasmo era «delirante». Desde principios del verano, Maeztu frecuentó la redacción de *La Almudaina*, el diario de Palma dirigido por Miguel de los Santos Oliver, poeta e historiador, llamado a culminar su notable carrera como director de periódicos barceloneses; varias colaboraciones firmadas por Rodrigo Mañaria aparecen desde entonces.

Ocurridos los desastres de Filipinas y Cuba, los ánimos se enfriaron de golpe. A primeros de julio corrió el rumor por las costas mediterráneas de que la flota norteamericana estaba cerca. Noticias fantásticas alertaban sobre barcos avistados desde Gibraltar. La alarma se hizo general en Palma. Poco a poco, el malestar se trocó en inquietud, y de la alarma se pasó al pavor.

Muchísimas familias abandonaron su residencia, llevando carros atestados de muebles y enseres. Se decía que el bombardeo naval era inminente. La ciudad se vació en una riada incontenible. Escenas parecidas de pánico, aunque no tan ostensibles, se vivieron en otras ciudades. En Barcelona empezó a constituirse una sociedad de seguros mutuos contra las bombas por venir. El terror pasó o, como decía *La Almudaina*, «la calma ha vuelto a los trastornados espíritus». Los prudentes habitantes de Palma regresaron a sus casas. Pero a Ramiro de Maeztu le quedaron grabadas aquellas escenas: el tránsito brusco del delirio unánime al caos del sálvese el que pueda. Un ejemplo, con otros que coleccionó, que demostraba la enorme fragilidad del orden social: «¡Yo vi aquello! ¡Yo vi aquella subasta de coches, tartanas, carros y carretillas de mano! ¡Se dieron cantidades relativamente fabulosas por un instrumento de transporte en que ir al interior, adonde no llegaran los cañonazos de la escuadra fantasma! ¡Yo vi aquellas multitudes que llenaban las carreteras de la isla y que corrían a campo traviesa con líos de ropa a la espalda...! Yo vi aquello, y lo que más me asombra es haber conservado cierto optimismo colectivo después de haberlo visto» («Recuerdos tristes. La defensa de Mallorca en 1898», en *España*, 24 de febrero de 1904).

Maeztu, o *Rodrigo Mañaria* vio aquello, y lo primero que se le ocurrió, en medio del desaliento, fue proponer la formación de un gobierno nacional. No porque los políticos, de derechas o de izquierdas, fuesen ni siquiera medianos. Al contrario. Era porque todo, o casi todo, según él, había fracasado: la prensa vocinglera, los señoritos inútiles, los profesores rutinarios, etc. Era el mismo estado de ánimo, el mismo diagnóstico que le llevó a anticipar el Sedán colonial español, en ese párrafo rotundo –incluido en *Hacia otra España*– sobre los obispos gordos, los generales tontos y los políticos usureros y analfabetos. Un gobierno nacional, porque España era una «nación enferma y caduca», despoblada, atrasada e ignorante. Un gobierno interino, resumen de una España amortecida, en espera de que las individualidades fuertes, pero desperdigadas, pudieran congregar en torno suyo a la «nación trabajadora»: «de ellas saldrá otra España, más noble, más bella, más grande y más feliz» («La solución inmediata», *La Almudaina*, 20 de julio de 1898).

El 23 de agosto se embarcaba para la península el batallón de Canarias. Anticipando sobre el futuro, Oliver despidió en su periódico a Maeztu, «escritor de nervio y de criterio sensatísimo, que juzgamos destinado a obtener rápida nombradía».

2.– *La literatura del desastre*

Algunos rasgos de *Hacia otra España*, y no sólo la coincidencia temporal, podrían emparentarla con un género de regeneracionismo que llamaremos literatura del desastre. Menudearon entonces los enfoques, positivistas de lenguaje, acerca de los factores de la decadencia política, mental y social de los españoles. Todo arrancaba con la pintura de un medio geográfico hostil. Luego, determinado fatalmente por este medio, se encontraban unos habitantes incapaces de esfuerzo prolongado, debilitados por la miseria, la dieta inadecuada o las malas condiciones de sus viviendas. Y, si por cima de este desmedrado material humano, se añaden sus efectos morales, el resultado es desolador. No habrá libro o artículo en esta clase de regeneracionismo –sería más adecuado llamarlo degeneracionismo–, que no dedique uno de sus principales apartados al carácter de la etnia española: fantasía, horror al trabajo, ignorancia,

[31]

apasionamiento, locuacidad, etc. Así lo exponen, entre otros, Lucas Mallada, Damián Isern, Ricardo Macías Picavea, Pedro Dorado o Sales y Ferré. No falta quien sugiera, entre estos autores, la existencia de algún estigma racial: «semitas», «bereberes». Y como resumen de estos clamores desaforados, Joaquín Costa lanzará aquella frase célebre sobre esa «raza atrasada, imaginativa y presuntuosa, perezosa e improvisadora, incapaz para todo». «Somos una nación enferma», escribe el marqués de Torre Hermosa. «Todos están inficionados, todos padecen la enfermedad de España», apuntaba la condesa de Pardo Bazán. Y ante esta situación extrema, estos escritores, por lo general, acudirán al remedio desesperado, a la solución antiparlamentaria, antipolítica y arbitrista –tradición española tenaz.

Las referencias de Maeztu a la parálisis intelectual, moral e imaginativa de España tienen que ver, en parte, con esa literatura; con el tono abatido y pesimista que la inspira. Es un estado de marasmo, que encuentra cierta fruición en resaltar la miseria nativa, en justificar la impotencia propia, llevando por momentos a desesperar de que España pueda existir como nación independiente. La revista *Vida Nueva* dibujó un mapa de España en el que se leía: «Francia hasta el Ebro, Inglaterra hasta el Tajo, y lo demás al carajo.» En los meses que siguen a la derrota, Maeztu escribe algún artículo que participa del positivismo vulgar, caricaturesco, al estilo de Pompeyo Gener, relacionando estrechamente la dieta y la decadencia española. Muy arraigada estaba en él la creencia en las posibilidades fabulosas del subsuelo español; una extrapolación, quizá, de su experiencia bilbaína. Momentánea propensión al arbitrio, al remedio milagroso: sólo hacían falta voluntad y dinero para crear Eldorados por doquier.

Maeztu siguió con mucho interés el movimiento de las Cámaras de Comercio; un movimiento sobre todo de clases medias, que muchos juzgaron como la alborada de la regeneración. *Vida Nueva* lo destacó para informar sobre la primera Asamblea de Zaragoza, en noviembre de 1898. Sin duda, simpatizaba con la reivindicación antifiscal, con la pasión antipolítica de los asambleístas. «Entre ser españoles y el adjetivo político, no hay duda, españoles», dijo Basilio Paraíso al inaugurar las sesiones. Y las voces subieron de tono en la reunión de la Asamblea de Productores, impulsada por Joaquín Costa, a principios de 1899: «¡borremos a esos políticos!», «¡hay que arrastrarlos!».

Los políticos resumían la figura del chivo expiatorio, viniendo a ser responsables universales de la pobreza y la derrota. La política, en sí misma, era pasatiempo de ociosos y actividad teatral. Lo que se necesitaban eran hechos, medidas prácticas, populares, realistas; lo que Costa llamaba gobierno «para la blusa y el calzón corto»; aunque todo quedase en una mezcolanza de propuestas necesarias, como el fomento de regadíos y escuelas elementales, y de otras nimias o absurdas, como la reglamentación del peso del paquete postal o el establecimiento de una suerte de beneficencia universal.

Lo que Maeztu glosó en un artículo como «agitación antipolítica», la «única manifestación sensible del pensamiento colectivo nacional» (*El País*, 27 de febrero de 1899), era alimentada por buen número de escritores del momento. No es sólo que la Restauración fuese un régimen fundado en la falsificación del voto; es que el sufragio universal, el mismo Estado, eran de dudosa eficacia, algo corruptor de la verdadera realidad española: la que en el vocabulario al uso representaban las «clases neutras». La esperanza de regeneración solía ponerse en el hombre providencial –caudillo, dictador, hombre fuerte–, capaz de corregir con mano firme los males de la patria. Lo que Joaquín Costa llamaba cirujano de hierro.

Maeztu declaró su acuerdo global con el pensamiento de Joaquín Costa. En Costa, en la frase «doble llave al sepulcro de El Cid», veía confirmada su actitud antihistoricista; o, lo que es igual, el llamamiento para trocar los recuerdos románticos de un pasado glorioso por la actividad y los problemas materiales de la vida moderna. Es la actitud que llevó a Maeztu a calificar de «triste coleccionador de muertas naderías» a Menéndez Pelayo. En Costa aprobaba su fundamental actitud antipolítica. Quien tenía en muy poco a la «bohemia», al «hampa política» –así se dice en *Hacia otra España*–, tenía forzosamente que acordarse con el que despacha-

[33]

ba sumariamente a los políticos como «locos, burros y cobardes». La simpatía por Costa era correspondida: el aragonés recomendó *Hacia otra España* desde su *Revista Nacional*, el órgano de la Liga Nacional de Productores.

El León de Graus fue entrevistado por Maeztu para *Vida Nueva*. Fueron cuatro horas de conversación con el profeta de la regeneración española, con el moralista de las visiones terribles. A Maeztu le sorprendió el tono descorazonado de su interlocutor. Frente a él, opuso entonces su «fe profunda en los destinos españoles» («Españolismo joven», *Las Noticias*, 3 de septiembre de 1899). En realidad, aparte de su pesimismo, Costa no le parecía bastante radical, ni bastante consecuente. El aragonés proponía una drástica poda del presupuesto de gastos públicos; entrar en él, decía, como «Atila en Roma». Sin embargo, abogaba a la vez por cosas como la universalización del servicio militar, lo cual, observaba Maeztu con razón, era contradictorio. La política hidráulica de Costa era, al fin y al cabo, política; es decir, tenía que ser impulsada y financiada por el Estado; y Maeztu creía en la posibilidad utópica de que los particulares acometiesen por sí la construcción de grandes obras públicas. Tampoco aprobará las tentativas costistas para transformar el movimiento de las Cámaras de Comercio en partido político. ¿Para qué otro partido más? A la efímera Unión Nacional, con todo y ser algo híbrido, medio liga medio partido, la tendrá en 1900 por un artificio abogadesco. Para un individualista radical, la regeneración debía ser la obra resultante de los esfuerzos de cada español en particular.

A pesar de las críticas, Ramiro de Maeztu siempre mostró una gran devoción por la figura de Costa. «Santo y bendito nombre», le llama en 1903. A su muerte, en 1911, escribirá una serie de artículos, por excepción recopilados en el folleto *Debemos a Costa*. Algunas de estas deudas eran ciertas. Otras, en cambio, eran más superficiales, o se basaban en un malentendido. Costa era un hombre formado en la escuela histórica, un estudioso y un apologista del derecho consuetudinario, en modo alguno un adversario de la tradición. Su nostalgia del colectivismo agrario estaba en los antípodas del individualismo de Maeztu. Por lo demás, es harto dudoso que el término «europeización», introducido por Costa en el vocabulario político español, signifique lo mismo que en Maeztu o en Ortega y Gasset.

Ya en su madurez aludirá Maeztu a su adhesión a la consigna costista de «escuela y despenda», como prueba de indiferencia política. Ahora bien, si indiferencia quiere decir poco interés hacia las formas de gobierno, la afirmación es cierta. El Maeztu de *Hacia otra España* no es ni monárquico ni republicano. Lo mismo elogia el carácter de Cánovas del Castillo, al rendir visita a la capilla ardiente de La Huerta, que dedica artículos a José Nakens, patriarca del republicanismo anticlerical. El rasgo que domina en el joven Maeztu es la hostilidad a la política y a los partidos como fuente de división social; el rechazo de las ideologías, de las «farmacopeas» decimonónicas, la «libertad» o el «orden», responsables de haber esterilizado los esfuerzos nacionales; una condena explícita de la generación paterna. Pero, por despegados que fueran de la política partidaria, los artículos de Maeztu tuvieron una acogida muy favorable en el sector más avanzado del republicanismo. Entre 1899 y 1901 colaboró en *Las Noticias*, el primer periódico barcelonés vinculado a Lerroux (también Azorín y Unamuno escribieron en él). Su relación con el caudillo es de abierta simpatía, defendiéndolo con motivo de la querella con el capitán Portas, responsable presunto de las torturas de Montjuich. El «amigo» Lerroux fue propuesto en 1899 como padrino en uno de los duelos de Maeztu (el duelo era algo parecido al bautismo de sangre del periodista), aunque finalmente no se celebró. La firma de Maeztu es acogida por *El Pueblo*, el periódico valenciano de Blasco Ibáñez. En 1901 asiste al homenaje a Blasco en Madrid. Fueron numerosos los artículos que publicó en *El País* –hasta 1904–, en *La Publicidad* y en *El Diluvio* de Barcelona –la enumeración no es exhaustiva–, y todos eran órganos expresamente republicanos. El prestigio de Maeztu en los medios republicanos, e incluso socialistas, se mantuvo durante bastante tiempo, prácticamente hasta el inicio de los años 20.

[35]

Un prestigio ganado, de un lado, por la crítica tajante al orden existente, a la justicia, a la aristocracia, a la religión; por el radicalismo individualista, por su vecindad a lo que entonces se llamaba «anarquismo intelectual». Por otra parte, el crédito en estos medios políticos se ganaba también por el anticlericalismo. Maeztu fue uno de los artífices que convirtieron el estreno de *Electra*, en enero de 1901, en una ruidosa manifestación anticlerical. La voz de «¡abajo los jesuitas!» que resonó en el teatro era suya. También se unió, en 1904, a la campaña contra el nombramiento del obispo Nozaleda para la sede de Valencia. ¿Indiferencia política? Más bien indiferencia frente a la política liberal, pero no ante otras formas de movilización política que por entonces abanderaban caudillos demagógicos del estilo de Lerroux y Blasco. Maeztu, en todo caso, entenderá la política como actividad guiada por una aristocracia de hombres superiores. Una alianza entre intelectuales y capitanes de industria: en 1903 trataría de llevarla a la práctica en sus relaciones con el empresario guipuzcoano Rafael Picavea. O de intelectuales y políticos emprendedores, como lo prueba el apoyo prestado desde principios de siglo a Rafael Gasset, un político hidráulico, no muy bien definido entre las diferentes facciones dinásticas. El entendimiento de los intelectuales como elite técnica, llamada a sustituir a los políticos de oficio, vendrá después. Pero eso ya corresponde a su etapa inglesa.

3.–*Nacionalismo económico*

Las soluciones defendidas en *Hacia otra España* se separan del grueso de las que ofrece la literatura del desastre; un género abismado, por así decir, en el fenómeno de la decadencia. Maeztu tiene una relación preferente con otra versión del regeneracionismo sustentada por el nacionalismo económico y el regionalismo de signo proespañol. Si la literatura del desastre es ante todo agrarista –Costa es su máximo exponente–, Maeztu abandera una solución industrialista. Su experiencia se había forjado en sociedades modernas, o en trance de llegar a serlo por la industria y el cambio social acelerado. Hasta muy avanzada su vida, fue un apasionado cantor de la ría bilbaína y su actividad frenética; del rojo, artificial paisaje de las zonas mineras, cruzado por tranvías aéreos, escenario de luchas épicas; de los capitanes de industria, adalides de un esfuerzo prometeico, a quienes rescataba de sus posibles desmanes –padecidos en carne propia– una ilimitada voluntad de creación y dominio. Por eso llamará a Bilbao «capital de la nueva España». El futuro se le antoja que ha de ser la «industrialización burguesa»; la conquista de la meseta castellana, su redención por el «oro vil» de los vascos emprendedores; es decir, la generalización del modelo capitalista vasco y catalán a toda España. Es algo muy parecido a lo que su amigo Miguel de los Santos Oliver llamaba un cambio en el «centro dinámico», un impulso de fuera adentro, una apertura a nuevos «núcleos nacionalizadores».

Ramiro de Maeztu se representaba esta civilización moderna con las ideas del darwinismo social; es decir, mediante la generalización de las tesis biológicas de Darwin –evolución por medio de la selección natural– al mundo social. Unas ideas que la despiadada industrialización temprana parecía corroborar. Maeztu dirá que fue en Nueva York –visitada fugazmente en su época cubana– donde comprendió «la ley de Darwin», antes de que el *Origen de las especies* pasase por sus ojos. El darwinismo social formaba parte del clima intelectual del fin de siglo en toda Europa. En 1899 se publicó la edición española del libro de Edmund Demolins: ¿A qué se debe la superioridad de los anglosajones? El libro, traducido y prologado por Santiago Alba –destacado político liberal más tarde– venía a resumir estos argumentos: las naciones latinas habían decaído porque en ellas no regía el individualismo a ultranza de los anglosajones; por tanto, se hacía necesario preparar una generación nueva de hombres prácticos, de acción, luchadores por la vida que lograrían el triunfo valiéndose de sus propias fuerzas, y no de la intervención del Estado. Por entonces, también se completaba la traducción de las obras de Herbert Spencer, entre otros por Miguel de

Unamuno. Spencer escribió un folleto de título emblemático: *El individuo contra el Estado*. Se hizo muy común, pues, argumentar en términos evolucionistas sobre los asuntos sociales: estadios metafísico, guerrero e industrial; supervivencia de los más adaptados (ésta era una conclusión de Spencer mucho más lamarckiana que darwiniana), etc. Asimismo era corriente el trasladar estos términos a la competencia internacional. Si España no abandona los tópicos del honor guerrero –«repertorio de frases sonoras», decía Maeztu–, si no cobra nuevas energías, si no se industrializa, se cumplirá el *dictum* de lord Salisbury y será devorada por las naciones poderosas.

Muchos años seguirá Maeztu imbuido por el darwinismo social, si es que alguna vez se libró de él. Prueba de ello es la atención que prestará a autores ingleses como Benjamin Kidd. La Sociedad Fabiana, con la que simpatizó en Inglaterra, tenía mucho de darwinista. La inquietud por lo que hace la fuerza de las naciones, nacida por efecto de la derrota del 98; la obsesión por indagar el «secreto» de su poder y su riqueza –la «national efficiency» de los ingleses–, será algo permanente en Maeztu, aun llegando a soluciones distintas.

En la España de fin de siglo, el industrialismo solía verse acompañado o ser parte del nacionalismo económico. Esto implicaba la exigencia de una decidida intervención del Estado. Protección arancelaria, fomento de obras públicas y «nacionalización» de los sectores económicos estratégicos, sobre todo para la defensa nacional. Éste era el programa de fuerzas como la Liga Vizcaína de Productores y el Fomento del Trabajo Nacional, así como el de escritores ligados a estos sectores: Alzola, Guillermo Graell o Julio Lazúrtegui. Maeztu fue un defensor firme de la «nacionalización», de que las minas o los transportes pasaran a propiedad de españoles. Andando el tiempo, en 1906, se hará acreedor al reconocimiento público de la Liga Vizcaína, por sus campañas periodísticas en defensa de la producción nacional. A pesar de ello, el nacionalismo de Maeztu tiene un carácter ambiguo, paradójico. En *Hacia otra España* aparece ya la condena del «artificio de protectores aranceles». Otros detalles, como la oposición a las subvenciones a la Compañía Trasatlántica del marqués de Comillas, reafirman su doctrina contraria a la intervención estatal. La experiencia inglesa posterior no hará sino reforzar sus tesis librecambistas. Maeztu parece sostener la paradoja de un espacio económico reservado a los empresarios nacionales, como resultado de los esfuerzos particulares, sin que el Estado tuviera nada que ver con ello. El nacionalismo de Maeztu es ya un nacionalismo ambiguo, hostil al Estado. Salvo algún episodio de su vida de escritor, el que va aproximadamente de 1906 a 1911, coincidente con su adhesión a la Fabian Society, el Estado será descrito como la encarnación del parasitismo social; un asilo de tullidos, lugar que esteriliza las energías de incontables individuos puestos, por gracia del presupuesto, al abrigo de la competencia social. Esta pasión antiestatal le llevará a defender una variante del lema spenceriano: «el dinero frente al Estado». Y así, acabará dando en la incongruencia de postular al mismo tiempo la iniciativa sin trabas de los individuos y la más extremada disciplina colectiva, patriótica o religiosa; a admirar las virtudes castrenses de unidad, disciplina, organización y valor, mientras denunciaba a la burocracia como fuente de todo mal, de la guerra incluso; un Estado como calamidad del que, a la postre, el ejército era parte principalísima. Una extraña ambivalencia que reclamaba simultáneamente el amor y el desapego por la autoridad.

4.–*El grupo literario del 98*

Hacia otra España no es un texto típicamente noventayochista. Azorín, Baroja, Unamuno, como antes Ganivet, habían comenzado su carrera literaria por la exaltación de los pueblos y el paisaje de Castilla. Eran la morada de la casta eterna en Unamuno, de lo que vive bajo la sobrehaz de la historia. La tarea de estos escritores consistía en desentrañar el misterio de la vieja España; el genio castellano (Azorín), espíritu inmortal, tradición o carácter (Menéndez Pidal), misterio de nuestra alma nacional (Ganivet). Con todo y decrépita, la Castilla de los villorrios arruinados, las ciudades quietas y los hidalgos pobres, atesoraban un alma artística, original, poderosa; una historia heroica que había que rescatar.

El universo de Maeztu es muy distinto. Su ámbito preferido es la gran ciudad moderna, llena de ruido y de luces deslumbrantes. Nunca estimó las soflamas de su «maestro y amigo Unamuno» contra los bulevares de París y su presunta cultura superficial. Él pone como ejemplos a Chicago y Nueva York, donde reina la fábrica, la bolsa y la máquina. Madrid, en contraste con Bilbao o Barcelona, es una ciudad mortecina, «golfeante». En Londres será un inglés exagerado, entusiasmado por el trajín de la City. El hidalgo es un señorito arcaico, llamado afortunadamente a desaparecer entre las ruinas de la vieja España. La meseta castellana es «un páramo horrible poblado por gentes cuya cualidad característica es el odio al agua y al arbol». Maeztu lleva en la retina el paisaje del trópico: la naturaleza cálida, el aire poblado de efluvios, los atardeceres majestuosos, la facilidad del vivir. ¿Cómo podría gustar de las llanuras de Castilla? Pío Baroja resumió así la discrepancia con su amigo: «Maeztu nos trae sus entusiasmos anglosajones y nietzscheanos por la fuerza, por el oro, por la higiene pública, por las calles tiradas a cordel y a nosotros nos enternece la debilidad, la pobreza y las callejuelas tortuosas, oscuras y en pendiente. Nos canta a Bilbao, a nosotros, que no pensamos más que en Toledo y en Granada, que preferimos el pueblo que duerme al pueblo que vela» (*Revista Nueva*, 15 de marzo de 1899).

Naturalmente, Maeztu comparte con sus amigos un furor iconoclasta contra las jerarquías sociales y los juicios existentes. También él pone en solfa a los «falsos valores sociales»; valores literarios, políticos, religiosos. También él es, ante todo, un rebelde; un partidario de lo que llama «moral de los fuertes». Fue Maeztu, con seguridad, el primero de «los tres» que leyó a Nietzsche. Baroja, en sus tardías Memorias, tan desmemoriadas a ratos, relativiza su conocimiento del pensador alemán. Pero aunque fuera en traducciones francesas, sus lecturas eran ciertas. Fue Maeztu el que sedujo a un mozo carpetovetónico, apellidado Ortega y Gasset, invitándole a transitar por la «zona tórrida» de Nietzsche. El «gran Nietzsche» era nada menos que El Redentor, puesto a menudo en lugar del religioso. La modernidad social aparecerá a menudo traducida a términos nietzscheanos como «inversión de las tablas de valores». El empresario capitalista será el superhombre del futuro, y él, Maeztu, el Zaratustra que lo anuncia. Es un Nietzsche, qué duda cabe, muy mezclado con las ideas del darwinismo social. La admiración por la fuerza, la tendencia a ver el conflicto y la guerra como la prueba definitiva de las sociedades, la categoría un tanto equívoca de «vida», todo eso se lo deberá Maeztu a Nietzsche.

Sus amigos –Azorín, Baroja– exaltaban el mito castellano, la voluntad desmesurada de místicos, guerreros y artistas. Ellos ponían la moral del héroe en la figura de don Quijote; un Quijote que, para Maeztu, era el prototipo de la decadencia, el «libro de los viejos». Para este último, el héroe era el burgués emprendedor y adinerado; un tipo execrable y ramplón de filisteo para sus amigos. Pero todos estaban acordes en considerar al alemán –infinita plasticidad del clásico– como el filósofo más original y audaz de su tiempo.

5.–*De la prensa*

Casi todos los escritores españoles jóvenes escribían en los periódicos. Algunos, como Azorín o Salaverría, vivieron de ello siempre. Unamuno, que era catedrático, declaraba que si no comía del periodismo, cuando menos cenaba de él. En España, la única manera de sostenerse con la pluma era ser algo periodista. Escribían artículo tras artículo, o folletín tras folletín, que luego eran editados como libros de ensayos o novelas. Pedro Salinas observaría con justeza que el tono ensayístico de la generación del 98 tenía mucho que ver con el periodismo.

Ramiro de Maeztu es un periodista en un sentido todavía más estricto que sus colegas. En cierto modo, es una figura que encarna al periodista moderno, uno de los primeros. Se podía escribir en la prensa sin ser miembro de una redacción, sin ser «periodista de mesa», sin estar pendiente de la noticia diaria. Azorín estuvo varios años pendiente de la actualidad parlamentaria. Escribió unas crónicas magníficas para el diario *ABC*. Pero su vocación era la literatura. Cuando, por fin, se vio sustituido en esta tarea, suspiró con alivio. Maeztu formará parte de varias redacciones, desde la del *Diario Universal*, en 1903, hasta la de *El Sol*, entre 1920 y 1927. Su tarea consistirá en informar al público lector de las novedades políticas nacionales e internacionales, en comentar la marcha reciente de las ideas, en dar su opinión sobre el presente fugitivo, bien abierta y desembozadamente, bien desde el anónimo editorial, sobre el acontecimiento pasajero. Maeztu se designa a sí mismo como «el cronista». Su estilo será claro y preciso, sin ringorrangos ni pretensions, deliberadamente funcional, sometido al objetivo de informar. Ahora bien, informar era una palabra que para los literatos metidos por necesidad a periodistas –Cansinos Assens es otro ejemplo notable– era algo pedestre, casi una profanación del oficio.

En la España de fin de siglo, ser periodista de un género nuevo, significaba no formar parte de un séquito político. La prensa era raquítica, si comparamos sus tiradas con la de los periódicos europeos. Era una prensa pobre, sin apenas publicidad, con pocas o ninguna corresponsalía en el extranjero. Era una prensa familiar, cuya propiedad se perpetuaba de padres a hijos: los Gasset en *El Imparcial*, los Escobar en *La Época*, los Moya en *El Liberal*. Era, a menudo, una prensa de partido o dominada por los primates políticos de la Restauración. El periodista medio, de grado o por fuerza, tenía un patrón político; lo cual significaba entrar en el círculo de los favores y recompensas. Los redactores de *La Época* cobraban poco –entre diez y veinticinco duros mensuales–, pero, en compensación, obtenían destinos públicos; cuando eso ocurría, los sueldos disminuían equitativamente. Maeztu comentará en una ocasión que visitar *La Época* era como entrar en una dirección general. *El Globo* era como una finca más del conde de Romanones. Aquí escribía Manuel Bueno, amigo de Maeztu. En *El Globo* se ganaba tan poco que el conde distribuía unas compensaciones llamadas alcaldías de barrio, plazas de temporeros, gratificaciones de material, etc. Se hizo famosa la plaza ficticia que llegó a desempeñar Manolo Bueno: ama de cría por cuenta del Ayuntamiento de Madrid. Para la prensa siempre había disponibles un buen puñado de actas de diputado; así eran «elegidos» los Burell, los Saint Aubin, los López Ballesteros o los Francos Rodríguez. Gasset o Moya, en puridad, no eran diputados por Pontevedra o por Huesca, sino respectivamente por *El Imparcial* o por *El Liberal*. La prensa, por fin, y como resultado de todo lo anterior, era una prensa de dudosa honestidad. El número de periódicos era elevadísimo y, en su mayoría, no hubieran podido vivir sin las subvenciones encubiertas de los fondos de reptiles oficiales.

Son estas circunstancias de la prensa madrileña las que aparecen una y otra vez aludidas en *Hacia otra España*. La figura del periodista bohemio, que pasa las mejores horas del día en el café. El redactor que «cuela» reclamos de los prohombres políticos, rumiando su descontento mientras espera el cargo anhelado. El achaque de frivolidad en la información. Consecuencias de un oficio inconsistente y movedizo: «De los 200 escritores que redactan los diarios madrileños, apenas hallaremos una docena que hayan hecho del periodismo su profesión definitiva.» No es poco el que periodistas como Maeztu, como Azorín, como Salaverría y, en cierta forma, como Baroja –redactor jefe de *El Globo* por breve tiempo–, reafirmasen la necesaria independencia del hombre de letras, ese «darse a valer» del que hablaba Maeztu. Sus nombres se asociaron a los primeros intentos de periodismo industrial: *ABC*, el diario *España* y más tarde *El Sol*. Por su honestidad profesional, por la intensidad intelectual de su obra, fueron ellos quienes dieron un prestigio nuevo a un oficio declinante. «¿Periodistas? Que pasen, pobrecillos.» Maeztu y Baroja oyeron esa respuesta condescendiente de labios de una condesa jerezana, en 1903, cuando ambos se encontraban cubriendo la información sobre las obras del pantano de Guadalcacín. Al cabo de poco tiempo, nadie se atrevería a hablar de esa manera.

De la otra España a la España de siempre

Ramiro de Maeztu llegó pronto a la cima del periodismo madrileño. En 1900 publicaba en las páginas prestigiosas de *El Imparcial*. Del *Diario Universal* pasó en 1904 a la redacción de *España*, donde coincidió con Azorín. Al año siguiente se estableció en Londres como corresponsal permanente de *La Correspondencia de España*. Casi simultáneamente, inició una colaboración con *La Prensa*, el potente diario de Buenos Aires, que llegó hasta 1936. Hasta cierto punto, su evolución intelectual fue típica de un intelectual inglés: de la Sociedad Fabiana y las simpatías por las reformas impulsadas desde el Partido Liberal, al socialismo gremialista en los años de la Gran Guerra. Su segundo libro, titulado en español *La crisis del humanismo*, se publicó en 1916 en inglés, como *Authority, liberty and function at the light of the war*; un libro que llegó a ser influyente en los medios guildistas, muy visible, por ejemplo, en R. H. Tawney. En Inglaterra contrajo matrimonio con Mabel Hill y tuvo su primero y único hijo. Tras su regreso a España, en 1919, entró a formar parte de la redacción de *El Sol*, el gran periódico liberal fundado por Nicolás M. de Urgoiti; su labor en él, como articulista y editorialista, fue decisiva en la línea adoptada por el diario con posterioridad al golpe de Primo de Rivera. Sería ahora muy arduo trazar la evolución que llevó a Maeztu a abandonar *El Sol*, en enero de 1927, para pasar a *La Nación*, órgano primorriverista. No hay ninguna razón que justifique ese cambio en virtud de una «conversión» religiosa. El acercamiento de Maeztu a la religión –no definible en términos de la ortodoxia católica– se hizo notar desde su etapa inglesa. Es evidente que, de vuelta a España, la religión creaba disonancias con el ambiente que dominaba entre los intelectuales de Madrid. Pero, ante todo, fueron motivos políticos los que le llevaron hacia posiciones cada vez más conservadoras. Embajador en la Argentina entre 1928 y 1930. Miembro de la Unión Monárquica Nacional hasta 1931. El conservador católico que era ya el Maeztu de los años 30 fue recibido en las filas de la extrema derecha monárquica. Fundador de Acción Española y diputado de Renovación Española por Guipúzcoa en 1933. En 1935 vendría el ingreso en la Real Academia Española. Los éxitos, sin embargo, no borraron la dedicación de toda su vida al periodismo. Del diario *Ahora* pasó al *ABC*, un título de significación enteramente opuesta al que fundase su padre, allá en sus mocedadades vitorianas. Colaboraciones regulares suyas eran publicadas por la prensa regional derechista: en *El Pueblo Vasco* de Bilbao, en el *Diario de Navarra*, en *Las Provincias* de Valencia y en el *Diario de Barcelona*. Eso sin contar las numerosas contribuciones para *Acción española*, de cuya revista era director.

En este tiempo, Maeztu manifestaba un desvío evidente por su obra juvenil; escribió *Hacia otra España*, porque «la histórica, en mi ignorancia, no me satisfacía»; era un error suponer «la posibilidad de hacer de nuevo un pueblo viejo» (*La Prensa*, Buenos Aires, 27 de diciembre de 1931 y 10 de julio de 1932). Las diatribas de los hombres de Acción Española contra el 98 eran constantes. La generación del 98 y la Institución Libre de Enseñanza eran sus dos fantasmas principales: «loco empeño de españoles desespañolizados» (Valdés). Ellos encarnaban la «traición de los intelectuales» de que hablaba José María Pemán, la traición a la España católica y eterna. Peroraba Pedro Sáinz Rodríguez en mítines y conferencias sobre el «guirigay» del 98; hablaba casi sin darse cuenta, o dándosela, porque era hombre malicioso, de que a su lado se hallaba Ramiro de Maeztu, uno de los fundadores del grupo demoníaco. Maeztu se hallaba enfrascado en la elaboración de una ontología del ser nacional, en la tarea de devolver a los españoles la identidad perdida, el carácter e ideales de la Hispanidad que los hicieron fuertes en otro tiempo. La España hidalga y atrevida, de misioneros, teólogos, guerreros y conquistadores, toda voluntad, acción y creencia. Unos ideales que, paradójicamente, se parecían mucho a los del 98.

A finales de julio de 1936, luego de la sublevación militar, Maeztu fue detenido por un grupo irregular, trasladado a la carcel de Ventas y asesinado a finales de octubre por un grupo de pistoleros de filiación anarquista.

[45]

HACIA OTRA ESPAÑA

Dos palabras

Yerran cuantos busquen en este libro un plano detallado de los cimientos en los que ha de asentarse la nueva España. Yerran igualmente los que me pidan la fórmula de la rehabilitación. Ni soy arquitecto, ni alquimista; ni sé dibujar planos, ni he hallado una mágica receta para producir oro con los misérrimos materiales que nos legó la España vieja.

Mi proyecto es otro. Quiero hacer de este libro una especie de cinematógrafo, en el que vayan los lectores reviviendo conmigo las impresiones y los raciocinios que han sugerido a nuestras almas, no ya sólo los últimos trágicos acontecimientos, sino el aspecto ruinoso que ofrecen la patria y los ideales heredados y las esperanzas despertadas por las tendencias que en estos meses se vislumbran.

Tiene sobrada importancia histórica el período en el que se han perdido las postreras colonias, para intentar escribir a vuela pluma una crítica consistente acerca de las causas y del alcance de estos hechos. Suele, en cambio, escaparse a la crítica, la serie de juicios y de imágenes, con que el curso de las ideas y de los sucesos impresiona a los habitantes de un país, durante una época de transición y crisis.

Esas imágenes y esos juicios son momentáneos y volanderos; no por ello merecen el olvido, ya que su sedimiento forma medula en nuestros cerebros, acaba por encarnar en el fondo íntimo del pensamiento nacional y modifica, poco o mucho, el histórico instinto de un pueblo.

Para evocar estas sensaciones intelectuales he acoplado trabajos de muy diversas procedencias. Por acá reproduzco artículos insertados en diversos diarios y revistas. Por allí desarrollo algunas notas para crónicas pensadas que no llegaron a publicarse. Por allá aparecen varios estudios, los de mayor empeño, escritos ex profeso para el presente volumen.

Esta anarquía creo no impedirá que se destaquen los únicos sentimientos que palpitan en todos mis artículos. Lo mismo en la primera parte: *Páginas sueltas,* en la segunda: *De las guerras,* que en la tercera, titulada *Hacia otra España,* por ser la fundamental del libro, mueve mi pluma el dolor de que mi patria sea chica y esté muerta y el furioso anhelo de que viva y se agrande, haciendo más intensa su actividad en las faenas materiales y en las labores de la inteligencia.

¿Cómo lograrlo?

Los hombres y los pueblos, colocados frente al ciego dinamismo de la naturaleza, sólo proceden de tres modos; oponiéndose a los hechos fatales, en cuyo caso luchan y padecen para ser arrollados a la postre; aceptando con desmayada resignación lo indefectible, y entonces se arrastran en una angustia perdurable; o bien fundiéndose con el movimiento de las cosas, deseándolas hasta en las penas, para que el ensueño de creación haga triunfal nuestra carrera por la vida.

A mi juicio se encuentra España en los comienzos de una grande y necesaria lucha económica, lucha de capitales, de cuyas resultas quedará plantada en mitad del arroyo –además de la producción débil– la mayoría de esa clase media, salida de la Universidad y de las Academias, que forma el núcleo de los actuales partidos políticos y cuyo porvenir depende de los presupuestos del Estado, de las provincias y de los municipios.

El problema, por tanto, se plantea en estos términos.

Si España presenta una resistencia invencible a la iniciada industrialización burguesa, nuestra nacionalidad será arrollada por extranjeras manos. Si España, con inerte pasividad, se deja llevar por la corriente de lo irremediable, prolongaremos, por tiempo indefinido, esta agonía. Y si España camina con decidido paso hacia adelante, podremos esperar de nuestro suelo mayor bienestar, de nuestra fecundidad un pueblo más grande y de nuestro espíritu un renacimiento intelectual.

¿Haremos esta jornada de propio impulso? La cuestión es más individual que colectiva. Por lo que atañe a este libro, suplico se me perdone la inmodestia si digo que espero sean las ideas apuntadas en su remate un paso más *Hacia otra España,* sobre los muchos datos por cerebros de mejor temple que el mío.

¿Será paso en falso?... ¿Será en firme?... Los hechos lo dirán.

I
PÁGINAS SUELTAS

NUESTRA EDUCACIÓN

Nos encontramos hace pocos días tras una ausencia de diez años.

–¿Y qué te haces?

–Me voy a Prusia, allá me envían mis jefes para aprender el alemán.

–¿Y qué te has hecho hasta ahora?

–Pues, chico, el ganso. Al terminar el bachillerato me gradué en Filosofía y Letras. He vivido siete años dando lecciones en colegios particulares... y ganando veinte duros mensuales. Hará cosa de un año me acordé de que hablaba francés, no porque me lo hubieran enseñado en el Instituto, sino por aprenderlo de niño. Me ocupé en escribir cartas de comercio, complací a mis principales... y el resto ya lo sabes... pasado mañana tomo el tren para Belín.

¿No es verdad, Archidona? Hemos hablado de él algunas veces, al evocar recuerdos de mis compañeros del Instituto. Era uno de los discípulos más aplicados y de los más listos. Obtenía sobresaliente en todas las asignaturas. Siendo casi un niño versificaba con facilidad, leía con primor, hablaba con elocuencia. Profesores y condiscípulos nos decíamos, no sin cierta envidia: ¡hará carrera!

Y, efectivamente, se hizo licenciado, ya lo sabes... y le ha servido su hoja de estudios para tener que desandar lo andado... tras diez años perdidos día por día, en una vida de aburrimiento y de miseria.

¿Te explicas mi odio contra los ateneos y las universidades, contra los títulos académicos y contra esas poblaciones del interior de España que no ofrecen a la juventud otra salida que la de embrutecerla con el latín y el griego y el hebreo y la historia de los godos y el derecho canónico y la retórica de Hermosilla y los silogismos –lógica corriente entre los perros– de la metafísica?

Pues bien; el caso de ese chico no es un ejemplo aislado. Se trata al fin y al cabo de un muchacho duro y animoso. Ha perdido su juventud. Es cierto. Pero parece decidido a desquitarse en la virilidad. Mucho me engaño si antes de otro lustro, para cuando se haya desvanecido la profunda tristeza que dejan en nosotros los años vacíos, los años de hueras ilusiones, no ha recobrado la fe en el porvenir y en el esfuerzo propio y con la fe en las cosas y en sí mismo, la alegre aceptación de la existencia, el «sí» a la vida de los niños sanos.

¡Los dignos de lástima son todos aquellos compañeros míos para los cuales llegarían retrasados los propósitos de enmienda!

Allá, de tarde en tarde, oigo noticias de su estado. El uno de lecciones particulares... con 75 pesetas al trimestre. El otro es abogado... en espera de clientes. Aquél es médico de pueblo... con 1.000 pesetas al año, pagadas en centeno. Éste, cura, con siete reales diarios. Fulano, escribiente de un notario. Mengano me pide una recomendación con mucha urgencia, «aunque sea para guardia municipal». A Zutano le encontré en la esquina de Fornos; llevaba cuatro horas esperando a Perengano, para pedirle cuarenta céntimos. Perengano, el más dichoso de cuantos nos hicimos bachilleres en 1887, ¡guapo chico!, logró casarse con una mujer rica; si se retira después de media noche no fuma en dos semanas... ¡a esto se llama lograr un buen partido!

Los condiscípulos de familias acaudaladas vegetan ociosa y tristemente, procurando ajustar a sus rentas los vicios que se han creado. Ninguno ha acrecentado su fortuna. El que no se ha comido su herencia está con el alma en un hilo, ¡como no se paguen los cupones de las Cubas tendrán que dedicarse a llevar baúles!

En resumen: una juventud frustrada ¡perdida sin remedio! He de hacer dos excepciones. Una, la de un muchacho que dejó la carrera para irse a Cuba a fabricar aguardiantes. A pesar de la guerra se ha enriquecido. Otra, la de un amigo que aprendió en Inglaterra a hacer zapatos y hoy posee un magnífico almacén de calzado.

Los demás ni han sabido ganarse la vida con sus latines... ni valdrían para ganársela si hoy se les ocurriera cambiar de camino. El acarreo bachilleresco les ha inutilizado para siempre. ¡Son víctimas definitivas de la corbata que les cubre la camisa!

¿Hablas de mí, Archidona, cuando sostienes que se puede vivir de las letras? ¿Crees, acaso, que yo he podido pasarlo decentemente con la pluma mientras no he olvidado la definición de una sinécdoque y la cronología de los reyes de Castilla?

¡Gracias a que en mis correrías por la vida he aprendido a contemplar los hechos cara a cara, sin que se esfume la visión en nociones librescas, he logrado infundir a mi pensamiento un cierto grado de originalidad y valentía! La vida y no los textos son los que me permiten estar contento del presente y esperanzado respecto de lo futuro.

¿Verdad, Archidona, que nuestros hijos no sabrán conjugar el *fero, tuli, latum*, ni quién fue Recaredo, pero, en cambio, se formarán al aire libre, en el trabajo, serán hombres, y, a ser posible, hombres de presa y de botín?

Trabajo en el café. Rodéanme quince o veinte muchachos que escriben, pertenecientes todos ellos a la que podría llamarse la aristocracia intelectual. En este momento se dedican a murmurar de un contertulio ausente y el *calembour* de doble filo recorre el perímetro de la mesa. ¿Por qué no se habrá inventado un aparato para pesar el ingenio derrochado inútilmente? Sigo escuchando. Cuando todos los compañeros sacan su tira del pellejo de un prójimo, merced al socorrido retruécano, la conversación languidece.

Aún no ha salido *El Nacional. El Nacional* es el proveedor habitual de la comidilla de todas las tardes. Ningún periódico le supera en el arte refinado de molestar hábilmente –yo diría impunemente– a las personas.

Mis compañeros están en el café desde las tres, saldrán a las ocho, volverán a las diez y a las seis de la madrugada darán en la cama con sus cuerpos. ¿Cuándo leen? ¿Cuándo piensan? ¿Cuándo trabajan?

Eso les pregunto yo. ¿Cuándo trabajan? A lo que dicen la guerra les impide trabajar. El público no lee más que los telegramas que de Sampson hablan, ni va al teatro como no se le embriague con la marcha de Cádiz, ni le interesan otras literaturas que las que escriben en las corazas de los barcos las balas del cañón.

Y estos muchachos son poetas, novelistas, autores finos (cómicos o serios, pero en fino).

De vez en cuando surge una imprecación contra alguno de los grandes periódicos, que, a renglón seguido de protestar en un artículo contra la publicidad que da otro colega a las noticias sobre movimiento de tropas, anuncia un sorteo para Canarias y Baleares. En verdad que la prensa es a ratos odiosa.

Ella ha precipitado la actual guerra. Es un vampiro que engorda de las catástrofes. ¿Qué les importaba una guerra a las empresas del *Sun*, del *World*, del *Journal* y del *Herald*, si los croquis que describían el torpedo submarino *causante* de la voladura del *Maine* aumentaban la venta de esos diarios en cien mil ejemplares? ¿Qué le importa al reportero de uno de nuestros periódicos descubrir al enemigo la calidad de nuestras armas, si con ello bate el *récord* de la información a uno de sus rivales?

La culpa no es del periodista, que en su labor precipitada no puede ni discurrir ni darse cuenta del alcance de lo que escribe: no es de la empresa periodística, sometida, como toda industria, a la ley sin entrañas de la concurrencia; no es de la prensa, que desempeña su misión estrechando las relaciones sociales.

El delirio alcanza a todos. Dícese que Mac-Kinley ha preferido una guerra a verse censurado por las hojas impresas. Nuestros funcionarios facilitan informes perjudiciales con tal de ver un *celoso*, antepuesto a su apellido.

Los verdaderos hombres de letras que se sientan en la mesa del café murmuran de la prensa. Tienen motivos particulares para odiarla. En esta labor del periodismo la belleza serena de la obra de arte no es posible. Se escribe con la cal y la arena del lugar común y de la frase hecha. El mármol y el granito literarios se agotaron con los clásicos. Hoy la cuestión estriba en fabricar mucho. Y a la gente de talento cuéstale gran esfuerzo resignarse a hacer del pensamiento una máquina de emborronar cuartillas.

Los que me rodean no se resignan, pero se limitan a protestar en voz baja y a dejarse oscurecer por el reportero.

La culpa es de los mismos literatos. La mayor parte son esclavos del *distinguido escritor*, y alguno veo que saluda a un periodista amigo para recomendarle la publicación de un suelto, en el que se anuncie su nuevo libro.

¿Así piensan hacerse valer las gentes de letras? ¡Pero

si el literato y el pensador deben imponerse al periodista, ser su mentor y su tirano!... ¡Si los periodistas forman el público natural de los pensadores y de los literatos!...

¡Si los periodistas no pueden influir sobre las masas de la nación, como no sea con los ideales y los pensamientos que aquellos concibieron, pensamientos e ideales que los periodistas no han creado, más por falta de tiempo que de cerebro, pero que les interesa conocer más que a nadie!

Llega *El Nacional*. La conversación cesa y las miradas se tienden negligentes sobre las columnas del periódico de Adolfo Figueroa. Al cuarto de hora se comenta un adjetivo mal aplicado, una frase poco sonora y una metáfora brillante.

Las ideas se deslizan inadvertidas. Acaso no se encuentre ninguna en las hojas diarias. Acaso, aunque se encontraran muchas, los hombres de letras no las percibirían. Su oficio les ha *impersonalizado*. La mayor parte no creen en la convicción, no pasan de la frase.

Pienso en que a estas personas debiera corresponder la suprema dirección del país, que no consiste en el Gobierno del Estado, sino en la colaboración del pensamiento nacional.

¿Qué harán, Dios mío, estas gentes sin valor, sin ideas y sin confianza en sí mismas?

...Pero sé que hay diez mil hombres en España que estudian en sus casas y trabajan y crean y son desconocidos. A ellos les pertenece el porvenir. A fe que ya es hora de que salgan a luz.

PARÁLISIS PROGRESIVA

De *parálisis progresiva* califica *El Liberal* la enfermedad que padece España, y presiente para lo futuro una convulsión o una parálisis definitiva.

Parálisis... Nos place la palabra. No de otra suerte puede calificarse ese amortiguamiento continuado de la vida colectiva nacional, que ha disuelto virtualmente en veinte años los partidos políticos, haciendo de sus programas entretenido juego de caciques.

Parálisis... Así se explica la espantosa indiferencia del país hacia los negocios públicos..., la abstención del cuerpo electoral..., el desprecio de los lectores de periódicos hacia el artículo político..., la sola lectura del telegrama y de la gacetilla, como si roto el cordón umbilical entre la nación y el ciudadano, cuantos fenómenos afecten a aquélla no interesaran a éste de otro modo que la ficticia trama de una comedia al público de un teatro.

Parálisis intelectual reflejada en las librerías atestadas de volúmenes sin salida, en las cátedras regentadas por ignaros profesores interinos, en los periódicos vacíos de ideas y repletos de frases hechas, escritos por el hampa social que lanza al arroyo la lucha por la vida, en los teatros, donde sólo las estulticias del género chico atraen a un público incapaz de saborear la profundidad de un pensamiento..., parálisis bien simbolizada por esa Biblioteca Nacional en donde sólo encontré ayer a un anciano tomando notas de un libro de cocina de Ángel Muro.

Parálisis moral, evidenciada en esos abonos increíbles para las corridas de todos; parálisis moral que inventa, en tanto se extiende el hambre en las comarcas andaluzas y doscientos mil hermanos nuestros mueren de anemia en climas tropicales, los cigarrilos del Khedive de dos, tres y cinco pesetas cajetilla, para que encuentren modo de gastarse sus rentas los accionistas de la Trasatlántica y del Banco.

Parálisis imaginativa, que ha dado al traste con los entusiasmos y los ensueños de la raza.

Y para esperanza de curación, una juventud universitaria, sin ideas, sin pena ni gloria, tan bien adaptada a este ambiente de profunda depresión, que no parece sino que su alma está en el Limbo; ni siente ni padece.

Pero no tema *El Liberal* que tan penosa enfermedad se desenlace en horribles convulsiones. Son ya tan hondos sus progresos que se ha llevado, no tan sólo la esperanza, sino hasta el deseo de curar.

España prefiere su carrito de paralítica, llevado atrás y adelante por el vaivén de los sucesos ciegos, al rudo trabajo de rehacer su voluntad y enderezarse.

Para serla agradable, no turbemos su egoísmo de enferma con vanos reproches y aunque la enfermedad acrezca... ¡silencio!... ni una palabra.

Dejémosla dormir; dejémosla morir.

Cuando apunte otra España nueva, ¡enterremos alegremente a la que hoy agoniza!

Madrid, abril de 1897

LAS QUEJAS DE RAVENTÓS

Para D. B. Amengual

Es muy probable que ninguno de ustedes haya oído hablar nunca del señor Raventós. El señor Raventós no es político, ni torero, ni actor en *chico*, ni en grande, ni criminal, ni siquiera comandante de una escuadra yanqui. El señor Raventós es un labriego honrado –¡qué inocente!– y trabajador –¡qué tonto!– que ha emprendido la misión de educar a los labradores españoles –¡habráse visto candidez semejante!

Y ese buen propietario catalán a quien nadie conoce, se permite quejarse en uno de los periódicos de su país de una porción de cosas que hacen reír al español más *cariacontecido* por el cariz de los acontecimientos. Figúrense ustedes que ese señor hizo poco tiempo ha, en compañía del marqués de Camps, un viajecito a la Corte.

¿Y con qué objeto?, me preguntarán los contados lectores que comiencen a interesarse en las andanzas del señor Raventós. Pues, una friolera. Vino a Madrid para gestionar la supresión del recargo del 30 por 100 sobre la contribución rústica y pecuaria. Como ven ustedes, el asunto, fuera de a tres o cuatro millones de españoles, no interesaba casi a nadie.

Raventós escribió miles de cartas, visitó a centenares de personas y, a vuelta de un sinnúmero de idas y venidas, consiguió que el señor Puigcerver rebajara, al 10 por 100, el proyectado recargo de 30.

¿Y de qué se queja el señor Raventós? Pues el señor Raventós, fingiéndose vanidoso y enojado, quéjase de que nadie le abonará los gastos de viaje, a pesar de los beneficios que para toda la clase agricultora se han derivado de su excursión por la Corte, quéjase de que ningún diario hablara de sus gestiones, de que ningún labrador le felicitara, de que nadie le despidiese a su salida del pueblo y de que nadie le saludara a su llegada; y de que «las gentes se encierren en su egoísmo y cuiden aisladamente de su negocio, sin parar mientes en que así llegan los desastres sociales, en los que se hunden los ahorros individuales adquiridos a costa de tanto trabajo y privación».

Quéjase también de que no se le tratara como se trata a un candidato en tiempo de elecciones, y quéjase, finalmente, de que los agricultores descuiden en primer término el deber de cultivar sus tierras y no reparen en que tienen deberes sociales con su clase, el deber de agruparse, de unirse para gestionar de los poderes públicos el mejoramiento de su condición, en cuanto de esos poderes públicos depende.

En resumen: el labrador Raventós se queja de que los compañeros desconozcan los intereses de su oficio.

¿Verdad que es un cándido el señor Raventós? ¿Acaso hay alguien en España –hablamos en tesis general– que conozca su oficio? ¿Lo conoce el Gobierno al consultar a los jefes del Ejército sobre la conveniencia de una paz inaplazable? ¿Conoce la prensa sus deberes profesionales al cargar los pecados de todo Israel sobre un Gobierno, que ha hecho cuanto estaba de su parte, para evitar a España los desastres de una aventura tan azarosa, como la que hoy lamentan todos los hombres de sentido común? ¿Conoce los deberes de su oficio esa parte del clero, que hasta última hora atizaba la guerra, menospreciando los consejos del jefe de la Iglesia y olvidándose de que su misión es misión de paz y no misión de guerra?

Pero no hablemos de si conocen sus deberes los gobernantes, los escritores y el cuerpo electoral, la masa gobernada. No hablemos de la cosa pública. Busquemos a los catedráticos en sus aulas, a los industriales y comerciantes en sus despachos y a los obreros en los talleres. ¿Acaso no constituye una minoría insignificante el número de industriales y de obreros, de profesores y de comerciantes que dominan su profesión? ¿No vemos diariamente cómo prosperan las casas extranjeras que en España se establecen? ¿No vemos que los operarios extranjeros que en España trabajan ganan salarios superiores a los de los obreros españoles? ¿No significa nada la postración científica de la nación? ¿Nada su humillación industrial?

Es ya vulgar la idea de que los hombres no pueden dividirse en buenos y malos; ni en sabios e ignorantes; ni en altos y bajos; ni en ricos y pobres. Creemos que no hay más que dos razas de hombres; la de los hombres que conocen su oficio, raza superior que encuentra en el trabajo su placer y vive segura de sí misma y del porvenir, en un presente que mejora de día en día, y la raza de los hombres desconocedores de su oficio, raza deleznable, que se arrastra penosamente por la vida, condenada a subsistir en fuerza de engaños o merced a la piedad de los demás.

Pues bien, en nuestra España desventurada, por una lamentable derogación de las leyes dinámicas, por una inversión de las tablas de valores sociales, ha prevalecido, erigiéndose en directora y dominadora, la raza de los inútiles, de los ociosos, de los hombres de engaño y de discurso, sobre la de los hombres de acción, de pensamiento y de trabajo, que era precisamente la única digna de conservar la vida nacional y perpetuarla. No nos referimos solamente a la política, en cuyos puestos preeminentes no se encuentra media docena de talentos verdaderos. Hablamos de toda la vida nacional, en la que se ha infiltrado tan profundamente el sistema de la recomendación, que es indispensable a todo el mundo y en todas partes: en la casa de comercio y en el taller, en la fábrica, en la redacción, en el bufete, en una oposición y en cualquier clase de concurso.

Y, ¿significa otra cosa la recomendación que la derrota de la superioridad legítima y segura de sí misma?

Nos han llevado las quejas del señor Raventós a consideraciones un tanto agrias y un mucho dolorosas. Ese caso del Raventós ignorado, a pesar de los beneficios sociales que alcanzaron sus esfuerzos, es verdaderamente simbólico. Por todas partes se repite el ejemplo, descorazonando y desalentando a cuantos tratan de luchar en buena liz, confiados en el trabajo.

De todas las desgracias que pudieran acontecer a un país, es la mayor sin duda –mayor que la desmembración y que la bancarrota– el reconocimiento de los falsos valores sociales, la libre circulación de la mala moneda.

¡Y ésa es nuestra desgracia, ésa es nuestra ruina!

Mallorca, julio de 1898.

EN LA HUERTA

Desfila la multitud por el salón donde descansa el cadáver del grande hombre. Las gentes se codean en las puertas, ávidas de curiosear. En los pasillos, el desfile se verifica con más orden.

Al descubrirse el público frente a los restos del señor de España, abre los ojos de par en par. Me parece la misma gente que allá, en París, acostumbra de diario a girar una visita de dos minutos a los ahogados de la Morgue.

A mi lado unas señoras intentan horadar con la mirada los muros recubiertos de tapices. Detrás de ellos se amontonan las obras de arte que coleccionó el muerto. A mi derecha un caballero de bigote gris, curtido rostro y lucidas alhajas –tipo clásico de indiano– parece reflexionar profundamente. ¡Tal vez calcule el coste de la soberbia instalación funeraria!

Un elegante contempla un segundo su ataúd y se aleja precipitadamente. Le conozco de vista. Es un muchacho que debe su rápida fortuna a la protección del muerto... ¡Váyase usted pronto, buen amigo! Los generales de Alejandro disputáronse a lanzadas su imperio. Los prohombres del partido ventilarán a arañazos la sucesión de Cánovas... ¡Váyase usted pronto! ¡Que no se olviden de su nombre al repartir la herencia!... ¡Váyase usted pronto!... Dícese que el cadáver está descompuesto... ¡cierto debe ser, cuando es tan grande la voracidad de los gusanos!

Las más de las personas miran a los lados con insistencia.

...¡Oh!... ¡Si apareciera la altiva reina viuda!... ¡Con qué gesto de servilismo innato doblarían respetuosamente las cabezas, que ahora estiran para ver a sus anchas el cadáver del hombre a quien califican de tirano!

¡Si apareciera la dolorida castellana, la que con su seca angustia, huérfana de lágrimas, ha renovado actualidad, acompañando el cuerpo de su esposo, para el cuadro genial de Pradilla!

Pero la castellana no aparece y la general curiosidad se frustra. No quiere verse obligada a agradecer una fingida mueca de dolor a rostros indiferentes. La mujer de Cánovas no puede engañarse al juzgar los sentimientos de los pequeños, de los ruines: conoce a esa gente.

Llega a mis oídos el cuchicheo de una plática, en la que se pondera la solemnidad del entierro y de las honras fúnebres.

¿Para qué esa solemnidad? ¿Necesitaba Cánovas de que cinco o seis mil soldados guarden la carrera por donde pase su cadáver? ¿Añadirán algo a la majestad del muerto los *requiescant* entonados por obispos? ¿No sería más noble y más augusta una sencilla misa rezada por un humilde sacerdote? ¿No sería más hermoso el espectáculo de un entierro de aldea, en el que el cadáver del grande hombre fuere llevado en hombros y escoltado por sus buenos amigos?

La modestia del espectáculo alejaría a los simples curiosos; en cambio, los amigos verdaderos del muerto confundirían su dolor con el de los que admirábamos la entereza de un gran carácter, los aciertos y errores del hombre odiado por toda España y requerido por la nación entera.

La realeza de la sinceridad hubiera engrandecido el entierro.

Mientras que así las ceremonias se verificaran con arreglo a patrón fijado de antemano. Al paso del cadáver presentarán armas automáticamente millares de soldados y entonarán los últimos rezos los mismos sacerdotes que aplaudían a Nocedal, cuando éste aseguraba que era Cánovas hombre funesto para la religión y para España.

...¡Y el dolor oficial sonará a hueco en los oídos de la noble viuda!

Madrid, agosto de 1897.

[70]

SÍMBOLOS

Bien hace el pueblo interesándose en el espectáculo que ofrece la causa de Villuendas. En las Salesas se discute y se juzga a Madrid *fin de siglo,* personificado en los actores principales de este drama.

Simbolizando ese contrabandismo intelectual, que se ha apoderado de la política y de los periódicos, de las Academias científicas y de las fábricas y mercados literarios, aparece el espectro de Moreno Pozo, el hombre vividor, desordenado, conocedor de ideas ya vulgares, que mantiene un rango superior a sus medios de fortuna y se agita en una sociedad de personajes, a los que adula para que le ayuden. Es en la ciencia el tipo que todos conocemos en el periódico; el redactor sin enjundia y sin estilo, despreciado intelectualmente por sus compañeros, que *colando* reclamos de prohombres, y frecuentando tertulias de copete, acaba en la gobernación de una provincia, mientras sus compañeros, los escritores de valía, a vuelta de una lucha penosa por conservar su independencia, andan solicitando credenciales de dos mil pesetas.

¿Y quién no ve en la viuda de Moreno Pozo la encarnación del lujo hambriento de este Madrid artificioso, necesitado a toda costa de placeres y que no vacila para conseguirlos, en cerrarse el porvenir, a cambio de una vara de terciopelo o de una entrada de los toros?

Villuendas es otra cosa. Es el hombre de presa que llega *bouche béante,* la boca abierta, dispuesto a tomar parte en esa gran merienda de que son víctimas las familias estranguladas por los intereses de los préstamos

[71]

recibidos. Es otro tipo que conocemos todos, en forma de concejal de negocios, de tendero aprovechado, de prestamista moralizador o de banquero advenedizo; es el hombre de egoísmo salvaje, que salta por encima de los códigos para lograr su objeto, y que sólo por un exceso de animalidad da con su cuerpo en el banquillo de los acusados, en lugar de acabar en un palacio.

Y como únicos seres simpáticos se presentan los hijos de Moreno Pozo, mirando con ojos llorosos al porvenir cerrado y duro, símbolos de un pueblo huérfano que pregunta al vacío horizonte cuál será su destino, cuando cese el tremendo castigo de los desastres coloniales.

Madrid, noviembre de 1897.

LA PROPAGANDA DEL CRIMEN

En un sólo periódico me encuentro con los siguientes títulos:

El asesinato del teniente coronel Ruiz; El fusilamiento de Aranguren; Los italianos y los asesinos; Parricidio de Ángela Aiza; El crimen de Guadarrama; ¿Incendio intencionado?; Asesinato bárbaro; Suicidio; Asesinato; Una mujer celosa; Robo importante; Un crimen por celos; Riña sangrienta.

¿No es bastante? Bueno, pues ahí va como nueva el probable asesinato de Rizal por sus compañeros Aguinaldo y Llanera. Media España está pendiente del asesinato. ¿A qué negarlo? Todos los españoles estamos deseando que se asesine al tal Rizal. Y no sé cómo para estas fechas no nos hemos asesinado ya las cuatro quintas partes de los españoles; ¡no será porque los periódicos no hagan todo lo posible por lograrlo!

Porque no se trata de un solo diario; son todos ellos los que con fruición incomprensible se empeñan en familiarizar a sus lectores con el espectáculo del crimen. La mitad de su texto se dedica a tan triste objetivo. Una columna para ir acostumbrando a las gentes con la reseña de los tribunales, a declarar en falso, a elogiar al abogado que libra del patíbulo a un individuo que se lo ha ganado *honradamente*, a enseñar a los criminales a librarse de la acción de la justicia.

Tres o cuatro columnas a reseñarnos los crímenes del día; la mitad de los telegramas a anunciarnos los crímenes de las provincias; los mismos cablegramas de ultramar a relatar más crímenes o a hacérnoslos desear.

[73]

Y ahí va el periódico de mano en mano, arrojando a la voracidad de las muchedumbres crímenes y más crímenes, que restan espacio a la literatura que consuela y hace amar la belleza, a las ideas nobles, a los mismos concisos comentarios, que suelen merecerles los hechos meritorios.

Quiero creer que las gentes no obedezcan a la sugestión de los periódicos; quiero creerlo, porque no se oyen dos conversaciones en las que no se maldiga de la prensa; quiero creerlo, porque si los gobiernos fueran a ser dóciles a las indicaciones de los periódicos, nuestra España sería ya una pluma arrojada a los vientos que soplaran por las contadurías periodísticas; pero pienso en la mala bestia que cada hombre lleva dentro de sí; pienso en este demonio de la perversidad que a todos los hombres, aun a los más santos, hace soñar, soñar cuando menos, en resolver sus conflictos por los medios violentos, y me pregunto si esa exhibición innecesaria y constante del crimen, si esa apoteosis de la criminalidad a que consciente o inconscientemente se entregan los periódicos, con furia demoníaca, no conduce, más que a otra cosa, a despertar instintos animales, mal dormidos entre las sábanas ligeras de la moral, mal disfrazados entre el oropel de nuestros progresos materiales.

¡AÚN ES POCO!

Con doce años de reclusión temporal, los suficientes para morirse loco, costas, indemnización y las accesorias formulísticas, pagará un pobre estudiante de Medicina, José Jiménez García, el delito de haber querido a una mujer, como no son capaces de amar ni los sensatos legisladores que fabrican leyes, ni tal vez los mismos jueces que ayer le condenaron...

No se adivine un signo de protesta en esas líneas. En la causa de Jiménez García todo ha ido bien y todo ha sucedido como debía suceder. Bien procedió la Carmen Espinosa al decir a su amante:

–¡Nada quiero de ti! Yo necesito un hombre que tenga dos mil reales para mis lujos. Si no lo hallo, antes de ir contigo prefiero venderme por dos pesetas.

Procedió bien, que si la vida nos niega sus placeres, no vale ni el trabajo de vivirla.

Bien proceden los señores que forjan las leyes y penan en ellas los homicidios, siquiera no se preocupen de los medios conducentes a evitarlos.

Bien han procedido los magistrados al aplicar las leyes; bien el presidente del tribunal al esclarecer en un discurso, que de «discreto e imparcial» califica un revistero, lo que tocaba hacer a los jurados.

¡Discreto e imparcial! Imparcial sobre todo, cuando recomendaba a los jurados que no tuvieran compasión por nada ni por nadie; así nos lo refiere el revistero. ¡No merece compasión el muchacho que comete un delito, en un viril arranque de celos y de amor! Si llegaran a comparecer ante los tribunales, acaso mere-

[75]

cieran compasión aquellas gentes de Barcelona, que, por un sueldo miserable, torturaban a centenares de inocentes, metiéndoles pedazos de madera entre las uñas y los dedos de los pies, arrancándoles el pellejo a túrdigas, abrasándoles las carnes a fuego lento, inutilizando a alguno de ellos para el cumplimiento de la ley del sexo.

Discreto, muy discreto, al explicar a los jurados que la circunstancia eximente de la fuerza irresistible debe ser material y no moral, «porque los impulsos morales nunca pueden ser irresistibles, pues para resistirlos está la voluntad». Tiene razón el señor presidente; si en un instante de arrebato la sangre anega el cráneo y ahoga la conciencia y arrastra la voluntad, como los ríos desbordados de Valencia arrastraban noches pasadas cabañas y arboledas enteras, si los nervios desencadenados se encabritan y gobiernan a su capricho y hacen mover los músculos donde vibran con febril trepidación, ¡el impulso de la sangre y de los nervios es moral solamente! ¡Los nervios y la sangre son cosas éticas, inmateriales, de espíritu puro!...

Todos han procedido bien; ya lo he dicho: leyes, jurado, tribunal, presidente y la Carmen Espinosa. El único criminal es Jiménez García. ¿Quién le mandaba querer como ya sólo se quiere en las novelas? ¿Por qué en lugar de indignarse contra la mujer que le amenazaba con vender su cuerpo, no supo organizar esa venta para lucrarse en ella? A los caballeros que hacen eso les ampara la ley; y si se hace con arte, no es una mujer guapa mal pedestal para escalar posiciones elevadas. Algo podrían decir de eso unos cuantos centenares de diputados, que han llegado a los escaños de diferentes Cortes sin otro mérito que el de saber aprovechar sus amoríos con hijas de personajes.

Tiempo tendrá para pensar en ello el cándido Jiménez. Cuando salga de la cárcel, si es que llega a salir, ya habrá aprendido que en esta vida el *macho* está condenado a buscarse el pan, si ha de tener una *hembra*, mientras que la *hembra* necesita primeramente un *macho*, para que no le falte el pan.

Es la ley eterna.

[76]

¿Quién le ha dicho a Jiménez García, nueva víctima del romanticismo, que el amor se hace con los brazos abiertos?... Ésa es una postura de los tenores de ópera.

...El amor ha de hacerse con las manos en el chaleco..., so pena de llevarlas esposadas.

EL HIMNO BOLIVIANO

No sé de dónde habría sacado el organillo el himno boliviano; ello es que mientras yo compraba esta mañana *El Imparcial* en una esquina, el maldito instrumento repetía, nota más, nota menos, la marcha americana.

> Viva, viva Simón Bolívar,
> que nos dio la libertad,
> y nosotros los bolivianos
> la sabremos conservar.

Me parece que el tal himno ha venido a parar, luego de trasponer los mares, en un pasacalle de zarzuela del género chico.

No cito nombres porque mi memoria musical es harto insegura, y no quisiera tener que andar en rectificaciones.

Abrí el periódico, proseguí pausadamente mi camino, y el organillo, atado a mis oídos, me acompañaba, evocando en mi memoria, con su *Viva Simón Bolívar*, el recuerdo de aquellas Repúblicas, del género chico también, como su himno internacional.

...Era en Tegucigalpa, allá en Hoduras, si no me equivoco, donde asistí, por última vez, a una de esas veladas que se celebran en América, con encarnizada frecuencia, para solemnizar la liberación americana. Aún me suenan los socorridos tópicos con que se maldecía de las inquisiciones de la *vieja Europa*, y las cántigas en loor de la joven y virginal América. Hablaron de todo: de Augusto Comte, de la fraternidad humana, de la mar y los barcos, aquellos doctores arrugadillos. Me parece que los más de los criollos nacen con arrugas. Al siguiente día de la fraternidad corría por las calles sin empedrar de Tegucigalpa, en forma de insurrección, que incendiaba viviendas y fusilaba ciudadanos.

¡La virgen América! Pensando en todo ello seguía andando, acompañado por el organillo que repetía el himno de Bolívar, cuando toparon mis ojos con la noticia relativa a las 200 personas que manda apalear diariamente el jefe de la República guatemalteca... ¡Una delicia!

No hace muchos días se recordaba en un café una anécdota muy curiosa. Nuestro ministro en Costa Rica se quejó al Presidente de los insultos de un periódico contra la colonia española. El presidente contestó:

–Bueno; ¿quiere usted que le *moleste* o que se le *perjudique*?

Y nuestro ministro:

–Hombre, que modere su lenguaje el periódico.

Al día siguiente la Policía costarriqueña entró a saco en el periódico y vapuleó a los redactores.

–¡Pero hombre...! –dijo el ministro al Presidente.

–Pues no hemos hecho más que *molestarles*; ¡si les *perjudicamos*...!

–¿Entonces?

–Entonces los colgamos de un árbol.

–Y el Presidente se quedó tan fresco.

Entre tanto me seguía sonando el himno de Bolívar.

Lo dice Lacordaire: «Hay pueblos que mueren cantando su inmortalidad.»

En cambio, según el mismo pensador, hay otros que se extinguen en una insensible agonía, amasada por ellos como un dulce y profundo reposo.

¡Quién sabe si el *Finis Hispaniae* ocurrirá en esta forma!

¡Helo allí!... El lujo de los ornamentos oficiales oculta a sus ojos esos rincones de la *Villa-Luz* donde el noctambulismo y la miseria han asentado su cuartel general.

Discurren, escoltados por uniformes recubiertos de bandas y de cruces, los carruajes espléndidos de la regia comitiva, entre otros uniformes, no menos brillantes, bajo arcos de triunfo y recogiendo los vivas delirantes de un pueblo emborrachado de entusiasmo.

El fantasma nihilista se ha desvanecido. El pueblo que cien veces levantara barricadas en sus calles, luchando contra el tirano, consiente que invada la Policía su domicilio, que abra sus muebles, que registre sus documentos, que se le someta a toda clase de pesquisas inquisitoriales, con tal de que ninguna inquietud, ni la más leve sombra, ni el temor más pueril atrévase a perturbar la suprema satisfacción que debe de sentir el Dios del día, el autócrata de un pueblo de siervos, al verse aclamado locamente por los libres ciudadanos de la más libre nación europea.

A su vez S. M. Imperial, Czar de todas las Rusias, rey de diez reinos, archiduque de veinte archiducados, duque de cuarenta ducados, señor de cien señoríos, legislador supremo, Pontífice máximo, impecable en Gobierno, infalible en religión, se deja llevar y traer con arreglo a patrón fijado por unos ministrillos, que el capricho de cualquier diputado de tres al cuarto arrojará mañana del poder y que un Rochefort, un Drumond u otro periodista desprestigiará para siempre, si le da por

[81]

barajar su nombre entre los muchos que han figurado en los innumerables Panamás franceses.

¡Contraste! Consiente en ser encadenado un pueblo libre para gozar de un déspota y un déspota se esclaviza a su vez para aspirar el aroma del incienso.

Las gentes le aclaman. Los hombres califican de heroico el supuesto valor de *l'Tsar Nicolas*; las mujeres le llaman hermoso; *oh! l'beau Nicolas!* Dicen cuantos contemplan desde una azotea las muchedumbres, que no parece sino que las cabezas se separan de los cuerpos, para vitorear al *grand ami de la France*... ¡ni siquiera se ve los hombros de las personas! Fortuna que sea el municipio de París más previsor que el de Moscow. En caso contrario, tal vez reprodujérase la catástrofe aquella que salpicó con sangre de tres o cuatro mil cadáveres las coronas recién estrenadas de Nicolás II y la duquesa de Hesse.

Alguien se pregunta el porqué de esa fiebre, el porqué de esa abdicación de todo espíritu nivelador. No se concibe que una fórmula tan fría, tan aparatosa como un tratado entre dos cancillerías –tratado impuesto por esas razones de Estado cuya comprensión no llega al pueblo– haya conseguido sugerir un delirio tan estrafalario.

No busquemos la causa con la aspiración a la *revancha*. La *revancha* es el pensamiento ocasional. La causa de esta idolatría está en el íntimo carácter de la raza: ¡nuestra raza latina de los cónsules y de los Césares!

Cien años de lucha por la libertad no han logrado liberalizarnos. Cantamos las Cortes de Cádiz y el París de Víctor Hugo; pero nuestros cánticos se acallan ante el esplendor de un uniforme. En el fondo de nuestra alma brilla siempre el Versalles de los Luises y el Aranjuez de las princesas de Éboli.

EL DESARME

La democracia norteamericana decuplica su Ejército y sus escuadras, para lanzarse decididamente a un período de agresión y de conquista. La democracia francesa declara infalibles, intangibles e irresponsables a los generales de su Estado Mayor. La democracia suiza envía a sus oficiales a presenciar las maniobras militares de Austria, Francia y Alemania.

Y cuando parecía inevitable una ruptura entre Inglaterra y Rusia, en el seno de la guerra, dentro de ella, búscase la paz y proclámase solemnemente lo que ha llamado Miguel de Unamuno *guerra a la guerra, pero siempre guerra*.

¿Y quién la proclama? ¿Otra democracia? No. El déspota, el autócrata, el señor absoluto, el Czar.

El edificio de nuestras ideas se desploma. Fundáronse las democracias para que los pueblos no se mataran satisfaciendo ambiciones señoriales. Cuando decimos democracia dibújase en la fantasía un pueblo de trabajo y de paz. Antójasenos un dédalo de chimeneas; el campo convertido en un jardín; la ciudad, el antiguo hacinamiento de cortesanos y lacayos se trueca en un Congreso de escuelas y talleres, en un hogar de bellas artes, de bibliotecas y de laboratorios. La enemiga hacia el cetro, el manto y la corona extiéndese hacia todo el uniforme. Nuestros abuelos simbolizaron la democracia en la balanza de la justicia.

Cuando decimos autocracia, cuando la palabra Czar suena en nuestros oídos, la imaginación evoca un Hércules vestido de oro y púrpura, blandiendo el látigo, so-

[83]

bre un rebaño de miserables agazapados, a quienes lanza a la batalla, para aumentar la propiedad del amo.

En la filosofía actual paz y democracia, guerra y despotismo son conceptos inseparables, palabras que responden al mismo pensamiento.

En realidad las democracias *antiparasitarias* han comenzado por fundar Ejércitos de empleados, dotados más tarde de fusil y revólveres, y acaban por divinizar la fuerza, por adorarla, echando en la balanza del derecho el espadón de Breno.

¡Y es el señor, el Czar, el Padre de las Rusias, quien propone el desarme general para evitar el falseamiento de la cultura, las crisis económicas, el agotamiento de la riqueza pública, y el derroche de las fuerzas físicas e intelectuales de los pueblos!

¡Hágase el milagro y hágalo el diablo!, decímonos todos.

Pero ante esta paradoja de los hechos, ¿no necesitaremos comenzar a pensar de nuevo? ¿No será cosa de preguntarse si la centuria que agoniza ha transcurrido, pugnando en vano por ajustar los hechos a una filosofía preconcebida, en lugar de derivar la filosofía de la sucesión aleccionadora de los hechos?

DE FIESTA

Con las jornadas lujuriantes del estío, sucédense en los barrios madrileños verbenas y verbenas, como en los lindos pueblos vizcaínos síguense unas a otras las romerías. El *ju-ju-jú* cantábrico, el grito de la guerra y del jolgorio no cesa de atronar entre los montes, mostrando en su infantil desbordamiento el ansia de vivir de un pueblo siempre fuerte y eternamente joven.

Vayan enhoramala los catones baratos de la prensa, que acostumbran en épocas de festejos a soltarnos discretos parrafitos, en los que exhortan a los Ayuntamientos y al Gobierno a que se ciñan las vestiduras negras y condenen al pueblo al uso del cilicio y del sayal. ¡Basta de *tartufismo*! Esos señores periodistas suelen vivir cómodamente; la guerra no les arrebata, ni los hijos, ni el pan; trabajan poco y con holgura, en rigor no necesitan de la fiesta a plazo fijo; es su vida una perpetua diversión, una broma de Carnaval, en la que sirve la pluma de careta.

¿Han vivido alguna vez esos infusorios de la tinta la vida del pueblo bajo? Y si no la han vivido, ¿con qué derecho niegan la absoluta necesidad de esparcimiento que ahora más que nunca siente el pueblo?

En el taller sombrío, donde las horas sucédense a sí mismas, vacías y tristes; sobre la tierra, cansada ya de exacciones milenarias, las gentes necesitan forjarse un ideal luminoso. Cuantos padecen han menester del pan de la esperanza. Y el pan de la esperanza son esas pobres combatidas fiestas.

¿Qué importa que a su llegada, tras meses y meses de

anhelosa espera, deslícense sin aportar el *más allá* que el doliente ambicionara en su infortunio? Conozco la mentira que se oculta en esas promesas de placer a fecha fija. Frente a mi ventana trabaja media noche, luego de terminar su labor diaria, una infeliz muchacha. No es bonita y quisiera serlo. ¡Con qué arrobamiento contempla a cada minuto su labor, el trajecillo que estrenara en San Juan! Me parece que la veo pensar: «Sí que estaré agradable, sí que me han de mirar, sí que he de ser feliz!» Y llegará la *sanjuanada*, y estrenará su traje, y la mirarán, y transcurrirá el día, esperando de minuto en minuto el instante de plena dicha que anhelara, y caerá el sol, y aumentará el número de sus desilusiones, y reanudará su vida de dolor y de aislamiento, la vida del dolor universal, que durará hasta que los siglos se consuman y se haga pedazos el planeta. Y a pesar de todo, cuando se acerque otro San Juan, coserá nuevamente otro traje, para estrenarlo el día de la fiesta.

Hay algo grande en estas fiestas que se anhela. Parece como si en ellas se invirtiera una parte del caudal de misticismo, que el dolor crea en el espíritu de las muchedumbres. En ellas buscan el anticipo de un Edén ignorado. Pues bien, señores Jeremías, no arranquemos al pueblo otra esperanza. Las esperanzas constituyen su única fortuna. ¿Con qué le pagaríamos caso de arrebatárselas?

A los que dicen que este año debieran suprimirse los festejos yo les pediría una limosna para hacerlos más grandes, preguntándoles: ¿no merece ese pueblo que llora tantas desgracias la esperanza de gozar un día al año?

Y es probable que a los que no me la dieran por caridad, les hiciera el egoísmo aflojar los cordones de la bolsa.

Junio de 1898.

Entre los cuentos en que Richepín nos pinta la decadencia romana, figura uno cuyo asunto es una lucha entre gladiadores, padre e hijo. ¿Lo conocen ustedes?

...El joven gladiador, que ha renunciado a los placeres de la vida para condensar sus energías todas en los músculos, reta a su padre, el gladiador antiguo, el hijo de Venus y de Marte, cuyas líneas de atleta suavizaron amorosas caricias.

El circo se estremece cuando en la arena se presentan padre e hijo, suplican las mujeres que se suspenda la lucha parricida, pero el hijo provoca la pelea, la lid se entabla, implacable y sangrienta, vence la habilidad del gladiador maduro a las fuerzas mal dirigidas del muchacho, y al ver morir al hijo suicídase el padre, arrojándose sobre sus propias armas.

...Que sólo así podían morir aquellos antiguos gladiadores que sabían también ser hombres, mientras que los nuevos tienen que elegir entre ser gladiadores o ser hombres.

Triste símbolo el del cuento de Richepín para los escritores nuevos, para los que pensamos que al literato no son dables otros amigos que el creador ensueño, ni otros placeres que el de arropar la idea en el estilo, ni otros hijos que las páginas impresas.

Si, apercibiéndonos a la lucha por el nombre, pretendiéramos algún día retar a los antiguos, viendo a Blasco se advierte la magnitud de la osadía.

Ha vivido la vida de su tiempo, en España, fuera de

España, entre amigos, entre damas, en reuniones... y un hombre que todo lo ha visto..., ¿se sabe lo que ha escrito?... Cincuenta y siete obras dramáticas, veintisiete volúmenes literarios y cinco o seis mil artículos y crónicas.

¿A qué elogiarle?... Ha emborronado cien mil cuartillas. ¡Cien mil cuartillas!... Cada una de las cuales supone la gestación de un pensamiento, de un pensamiento desparramado por esos mundos.

Yo me figuro ese envoltorio inmenso de papeles pesando sobre el cerebro de Blasco, y me preguntaría por qué milagro no se ahoga en el pasado su ingenio siempre fresco, si no supiera que es el mismo Fénix de la amenidad, renaciendo perennemente de entre lo vulgar y lo ya dicho.

Pero el Fénix resulta inexplicable.

No nos atormentemos en explicarlo.

Digámonos más bien: «¡hay que trabajar mucho!».

Y trabajemos, a pesar de Richepín.

Madrid, noviembre de 1897.

Sucede con Bilbao lo que ya se ha hecho notar respecto de la capital de Cataluña. El forastero que lanza una ojeada sobre la aérea y esbelta grandiosidad del puente de Palacio, sobre los *chalets* que bordean la ría, sonriendo a la vida, sobre el dédalo de chimeneas, que a la par que con su negro incienso dulcifican la insondable infinidad del cielo azul, parecen erigirse en mensajeros de la heroica nobleza con que los hijos de esta férrea tierra han aceptado la ley ineludible del trabajo; el visitante que contempla la suntuosidad y esplendidez de los palacios del Ensanche, la canalización perfecta del Nervión, la escrupulosa pulcritud de calles y paseos, la sucesión interminable de vapores atracados a los muelles, la siega de montañas en la región minera y la tenaz audacia de las obras del puerto, en las que intenta la pobre larva humana cerrar el paso al mar, a ese mar que comparte con el *eterno femenino* el poder aterrador de disolver la fuerza en su movilidad inerte... ese transeúnte, ese forastero no disimula su fervorosa admiración.

Empero, transcurren los días; nuestro héroe hállase solo entre la gente sudorosa y atareada que recorre las calles, se ve obligado a reconcentrar en sí mismo su expansividad admiradora, la rudeza vizcaína le hiere y aísla quiébranse las ondulaciones afectivas de su espíritu al chocar con las líneas austeras del alma de Bilbao, alma de temple, como el acero que forja en sus fábricas, alma angulosa, como una torre gótica, cuyas aristas se llamaran tenacidad, orgullo y ambición, y exclama desconsolado:

–¡Bilbao!... ¡Bilbao!... ¡Si no fuera por el carácter de tus hijos!

¡Error lamentable! Si no fuera por el carácter de sus hijos, el mágico desarrollo de las ciudades y de las industrias, se paralizaría como el movimiento de una máquina huérfana de vapor. No fuera por la salvaje tenacidad bilbaína, la intensa fiebre del negocio, en la que han encontrado válvula de expansión las íntimas latentes energías de la raza, y fábricas y minas, palacios y *chalets* se demoronarían, como los cuerpos de los titanes de la fábula al perder el amor a las nereidas, como los Ejércitos cruzados al sentir vacilarles la fe, como las civilizaciones de los pueblos muertos al amortiguarse el impulso que los llevara de la oscuridad al esplendor.

Si Bilbao nos obliga a admirarle, no incurramos en la vulgaridad superficial de hacerlo meramente por el poderío material que nos muestra. Admirémosle aún más por la fuerza moral que nos oculta. En la pirámide de las civilizaciones, es la riqueza la base necesaria para que, sobre ella, puedan empinarse al cielo el sentimiento del artista y la elucubración del pensador.

No nos arredre el ansia de placeres materiales, característica de los pueblos recientemente enriquecidos. Alegrémonos más bien del sibaritismo con que se buscan los buenos vinos, la mesa finamente abastecida, el hogar cómodo y la calle limpia. Cuando se hayan satisfecho estos placeres rudimentarios de otros más refinados y complejos necesitará el hijo de Bilbao. Luego de acostumbrarse al *confort* de la vida burguesa, surge el ansia del lujo; el lujo en la vida de los pueblos consiste en la adoración a las bellas artes.

No nos importe que los cuadros se compren en las subastas, antes por la riqueza del marco que por el asunto concebido y la manera de expresarlo, ni que en los periódicos bilbaínos, los mejor y más perfectamente informados de todas las provincias españolas, apenas léase de cuando en cuando una página de literatura verdadera, ni que se pueblen con preferencia las bibliotecas particulares de libros de dorados cantos, que no de obras de mérito reconocido, ni que las gentes se abonen al teatro y luego no asistan a las representaciones... Esperemos, con todo, que este período de florecimiento material lleve en su germen una futura lujuriante primavera artística.

El entusiasmo que la música, el lenguaje de la voluntad, despierta en los bilbaínos es seguro indicio de una orientación más refinada y espiritual.

Cuando un pueblo escucha con fervor religioso una melodía wagneriana o una marcha de Saint-Saëns, su espíritu está ya medio ganado para la causa del arte. Es en vano que el engreimiento del dinero llévele a menospreciar esta otra *orquestación* del habla del prosista o del poeta. Inconscientemente arranca la música de nuestras almas lágrimas y risas que anhelamos perpetuar en la visión del poeta, plasticidades que esculpiránse en mármol, atardeceres, campos desiertos y vegetaciones tropicales que reflejará el lienzo. Es inútil la resistencia. La música no se conforma con abrir la puerta que conduce a otra vida más bella; arrastra en pos de sí a cuantos escuchan a esta mágica sirena. Los siglos se suceden y la fábula de Orfeo sigue siendo eternamente verdadera.

Tanto mejor. Sólo cuando la riqueza proporciona a los pueblos el vagar necesario para gozar plenamente de la contemplación de las obras estéticas, el arte se emancipa del vivir artificioso y mendicante con que se arrastra en los países de incompleto desarrollo económico.

Sólo aquéllos pueden dedicar a la belleza, fin supremo de la vida, el culto olímpico que le es debido.

Del mismo modo que la guerra de Troya fue un rodeo que se tomó la caprichosa Naturaleza para producir la *Ilíada*, así podemos considerar la red ferroviaria y el hormigueo de fábricas como un pedestal sobre el que se yerga una generación de artistas. Sobre las cimas de las chimeneas vibrará la lira del poeta y vibrará desde lo alto... Ayuden a la obra de la vida los que la hubieren comprendido. Así se acercará el advenimiento del apogeo artístico, fase última y suprema de toda civilización.

[91]

II
DE LAS GUERRAS

DE LAS GUERRAS

Tal vez se advierta que, en los artículos que a las guerras dedico, he incurrido en diversas contradicciones. Nada me sería tan fácil como unificar mi pensamiento. Me bastaba retocar algunos párrafos. Nada tampoco menos difícil que exornarme con el título envidiable de profeta, reproduciendo multitud de escritos, publicados mucho antes de que sonara la palabra «liquidación», al discutirse la cuestión cubana.

Dejo, de intento, esas contradicciones, resultantes de la fluctuación de mi espíritu, entre las dos tendencias que han ejercido influjo sobre el alma nacional; la tendencia histórica, guerrera y heroica; y la tendencia contemporánea, conservadora y positivista, hija de cierto mejoramiento, operado últimamente, en nuestra vida económica.

En esa fluctuación, precisamente, estriba el interés que yo quisiera dar a estos artículos. Por eso olvido aquellos otros, en que hube de combatir ideas y sentimientos generalizados. La evolución del pensamiento español no se debe a los escritos de Mañé y Flaquer, ni a los de Pi y Margall, ni a los de Pablo Iglesias, ni a los de nadie; débese exclusivamente a la sucesión aleccionadora de los hechos. Prefiero, por tanto, recoger aquellos trabajos, publicados o inéditos, en los que al especular sobre los incidentes de las guerras, me limito a dar forma a juicios que han debido de brotar, al mismo tiempo que en mi espíritu, en el ánimo de muchos españoles.

De otra parte, mis aciertos, si algunos tuve, como los

aciertos de cuantos escritores se han opuesto a las aventuras coloniales, no arguyen grandes méritos. Los de los señores Pi y Margall, Mañé y Flaquer e Iglesias, son meros efectos de la aplicación de un cerrado dogmatismo de escuela hacia un asunto; no de un estudio directo, serio y analítico de los problemas ultramarinos. Los míos nacen de que los azares de mi vida han formado mi educación en Cuba y Norteamérica, en los ingenios azucareros, en el comercio y en las fábricas de tabaco, no en las oficinas del Estado, ni en las mesas de las redacciones.

Quiero decir con esto, que no rehúyo responsabilidades. Cuantas censuras dirijo a la prensa, por sus campañas bélicas, me alcanzan en el cargo fundamental que a todos los escritores españoles puede dirigírsenos. Ese cargo no es la mala fe, es la ligereza.

Creo que los periodistas españoles no hemos reparado en que a la prensa corresponde, si no la dirección suprema de los pueblos, función de los creadores de ideas, de los intelectuales puros, abstractos, andróginos, al menos la orientación inmediata de la vida colectiva, mediante la transformación de los productos ideológicos del intelectualismo, en ideales eficientes, carne y sangre de un pueblo.

La prensa debió suplir, con informaciones concienzudas, la ignorancia de nuestras clases gobernantes, formadas de leguleyos y oradores, respecto de las fuerzas navales de la República norteamericana y de las causas determinantes de las insurrecciones coloniales.

No lo hicimos los escritores españoles a su debido tiempo.

No tenemos derecho a hurtar el cuerpo a las censuras. Acaso al afrontarlas hallemos una recompensa a nuestra sinceridad; la de procurar hacernos dignos del elevado puesto en que nos coloca la intensificación de la vida colectiva moderna.

UN INDULTO

Censúrase al Gobierno por el indulto concedido a Sanguily y aprovéchase el suceso para comentar desfavorablemente la política, compasiva algunas veces, que se sigue en la represión de las rebeldías coloniales.

Pláceme el espíritu que informa estas censuras. Soy partidario de la moral de los fuertes y el sentimiento del perdón sugiéreme muy pocos entusiasmos. Veo en él, muy a menudo, más que la indiferencia ante la injuria, la impotencia para el castigo. Lo juzgo inferior al placer olímpico de la venganza.

¿Pero somos nosotros los fuertes en el litigio antillano?

Hallámonos, respecto de los pueblos que tienden sus miradas hacia la isla de Cuba, en la situación del pródigo arruinado, que requiere la protección de sus antiguos compañeros de orgía.

Mientras fue rico, sus gastos y locuras le valían elogios, como sendas virtudes.

Una vez pobre, se le echa en cara hasta el uso de la ropa decente que conserva. Si se ve en un apuro, sus amigos de antaño le reprochan sus hábitos lujosos. «¡Cómo ayudar a un hombre que gasta en ropa cuanto cae en sus manos!» Sus iguales de hogaño no le perdonan el buen corte de sus vestidos. «¡Qué venda la levita!», se dicen ante sus contratiempos. Sus inferiores tampoco le sirven; ni como a prójimo, porque un *señorito* no es prójimo, ni como a señor, porque señor que no da propinas..., ¡allá se las arregle como pueda! En resumen; todas las puertas se le cierran, en todos los parajes

[97]

se le avergüenza, y ¡ay de él como pretenda defenderse contra todos con el arma del orgullo!

...Yo no creo que Cuba perdería gran cosa con el fusilamiento de Julio Sanguily. *El general* –así lo llamaban en La Habana los *venenosos* de la acera del Louvre– ha vivido la historia de sus hazañas más en las mesas de tapete verde, en las casas alegres y en los *restaurants* y cafés a la moda, que no en los maniguales.

Hubiera sido un rasgo hermoso fusilar a ese príncipe de los tahúres de buen tono. Así procede Inglaterra con sus colonos levantiscos. Así procedíamos nosotros cuando éramos los fuertes; díganlo las campañas del duque de Alba por los Países Bajos. No viste mal a un pueblo ejecutar de cuando en cuando a un Sanguily.

Lo malo es que el uso de esta ropa de mejores tiempos no se nos perdona. Hemos de ser humildes y recatados, hemos de aparecer tolerantes y precavidos, ¡y así y todo será difícil no ya lograr ayudas, sino conservar la libertad de acción!

...Seamos generosos, no por espíritu de humanidad, sino por cálculo, tengamos maña; ¿no es la astucia la sola fuerza de los débiles?

Madrid, septiembre de 1897.

27.500

No es el número del premio mayor de la lotería; es el del cupo que han acordado enviar a Cuba los señores ministros.

¡Ahí es nada! ¡27.500 hombres!... ¿Si fueran hijos del señor Azcárraga o de sus compañeros de Gabinete, la nación perdería otros tantos futuros abogados, prohombres, almirantes y generales con la cruz laureada?... ¡Lo que necesitamos!

Pero son albañiles, carpinteros, labriegos... ¡Por qué entristecernos!... ¡Quedan aún tantos que, morral al hombro, recorrerán los caminos, yendo de pueblo en pueblo, a ofrecer la mercancía del trabajo, la más preciosa y la más despreciada!

El genio de Malthus ha encarnado en nuestros gobernantes. No parece sino que hay en España un gran exceso de población. Se ha averiguado que de todas las guerras la mejor, la más útil, es una guerra colonial. ¡En los trópicos se efectúa admirablemente la selección de los mejores!... ¿Es uno demasiado sanguíneo? Pues el vómito se encarga de eliminarle. ¿Es pálido y nervioso? La calentura hace cumplir las deducciones de la ley de Malthus. ¿Sigue aún tirando? Pues da en tísico, en canceroso o en anémico incurable. ¡Los que no sucumban ha de ser en absoluto hombres de temple!... Gracias a esta supresión de los débiles vamos a mejorar la raza.

Hace dos años, cuando salieron con rumbo a Cuba las primeras expediciones de tropas, el entusiasmo se desbordaba por muelles y estaciones. «¡Hasta luego!», decía el pueblo a los soldados. «¡Hasta luego!», replicaban éstos, mirándose envanecidos el traje de rayadillo.

¡Hasta luego!... ¡hasta luego! Despedida que no es despedida, bello saludo que indica la constancia en el trato, adiós en el que se sonríe y no se llora, ¡cuán fatídico es dedicarlo a los que van a Cuba, sobre todo si se cumple el íntimo deseo que el saludo entraña! Mientras el *¡Hasta luego!* está lejano, tal vez el soldado se encuentre en el hospital o bajo tierra, pero los que no sabemos de su vida, esperamos que ascienda a sargento, que gane cruces, que sea feliz. Cuando el *¡hasta luego!* se trueca en realidad, cuando el soldado vuelve, la ilusión se desvanece. Regresa el despedido revolcándose en el vientre enorme de un transatlántico, comido por la fiebre, por la disentería, por la tisis. ¡Es un espectro lo que regresa, no es un cuerpo! «Vienen lívidos, descalzos, desnudos, tiritando de fiebre, maldiciendo...» Así escribe *El Imparcial.*

Si el general Azcárraga tuviera el don de comprender a su país, leería, en las frentes abatidas el anatema universal de la nación contra la política guerrera, la que mata y esquilma, y su esperanza en otra política más alegre, menor tétrica, que haga que los soldados regresen a sus casas... ¡enfermos y todo!

Madrid, septiembre de 1897.

LA INFERIORIDAD DEL INDIO

Dícese que la agitación que parece sentirse en Filipinas proviene de que el indio, al mirarse *por dentro*, se encuentra inferior al blanco peninsular, y se rebela contra su propia irremediable condición étnica.

Añádese que su incapacidad para las matemáticas y para las ciencias naturales, *debida a su escasa concepción ideológica*, su apatía nativa y su carencia de voluntad, le impiden asimilarse los progresos modernos.

E infiérese de estas premisas, que es una utopía pretender implantar en Filipinas reformas progresivas.

Pues bien, los que tal dicen pecan por ignorancia o por mala fe.

Japoneses y filipinos pertenecen a la misma raza: la malaya. ¿Es *inferior* el pueblo que consigue en cincuenta años hacer propios los progresos que otros han alcanzado en treinta centurias?

Ahí están esas colonias filipinas de Roma, París, Londres, América del Norte, Berlín, Bruselas y Barcelona. Allí están esos Rizal, Paterno, Luna, Hidalgo, Reyes, Longson y Sukgang. ¿En qué nos son inferiores? Subamos a la biblioteca del Ateneo de Madrid. Apenas reside en la Corte una veintena de tagalos. Sin embargo, a las veces es mayor el número de filipinos, que encontramos estudiando en ella, que el de peninsulares. No parece sino que España es la colonia y el archipiélago la metrópoli.

Esa afirmación de inferioridad etnográfica, además de ser falsa, es una provocación insensata.

Imaginemos un pueblo de otra raza que la nuestra,

tan ilustrado o más que el nuestro, español al extremo de que las únicas reivindicaciones que demanda son ser español en todo, en los derechos como en los deberes, y al que desoímos, sin oponer a sus quejas otro argumento, que el de echarle en cara sus pómulos salientes, el color de su rostro, lo lacio de sus cabellos..., aquello precisamente de que más nos vanagloriamos todos, de que nos preciamos más, nuestras prendas o defectos físicos.

...¿No es lanzar el descorazonamiento en el ánimo de aquellos insulares? Porque los filipinos han podido mostrarse y ser sumisos a la metrópoli, para que las libertades que pedían no fueran peligrosas a la soberanía nacional, han podido aumentar su cultura, para hacerse dignos de vivir en un régimen de derecho más elevado que el burocrático-teocrático-militar que ahora impera, pero cambiar el color de su piel, la naturaleza de su cabello, mudarse de raza, eso no lo pueden hacer los filipinos y eso precisamente es lo que, según los reaccionarios, necesitan, para que se les pueda conceder las libertades y derechos que piden.

No hay redención, pensará el filipino al verse en la cara la diferencia de su raza; se le ha desesperanzado, se le ha descorazonado, se le ha dicho que no podrá jamás lograr sus aspiraciones.

¿Saben lo que han hecho los reaccionarios? Pues empujar sencillamente a los filipinos a revolución, hacer que consideren al Imperio del Sol Naciente –¿no es sugestivo el nombre?– como a la metrópoli de su raza; crear el separatismo.

Bilbao, agosto de 1896.

Por punto general no me gusta Loti. El sentimiento que inspiran sus obras no es la pasión de los enamorados de la vida, de los que la quieren tal como es, de los que se funden en el movimiento de las cosas. Es la sensiblería fútil de los que, a ajenos al *devenir* del infinito, no ven más que el fenómeno menudo y contingente y acaban por lamentarlo todo y por dolerse de las actividades todas.

He leído, con todo, en estos días una novela suya, que me ha conmovido y me ha hecho pensar.

Se titula *Matelot!* Su argumento es sencillo, casi trivial. No es la última de Loti, se ha escrito hace unos años, no sé cuántos..., de tres a cinco.

En tres años fúndase y se olvidan media docena de escuelas literarias. ¡Qué he de hacerle! Los pobres formamos nuestra cultura como podemos buenamente, leyendo los libros que caen en nuestras manos.

La educación sistemática y ordenada nos es imposible.

Consiste la fábula en la vida de un muchacho, perteneciente a una familia de la clase media, empobrecida por la desgracia.

Cuando le llega el año de servir en filas lo hace en la marina y le corresponde ir al Tonkín.

Allí navega por los grandes ríos, que corren silenciosos entre los bosques de Asia. Se bate en los pantanos contra los tonkinenses. Se bate con valor.

El muchacho enferma de fiebre, va al hospital –un barracón construido con cuatro tablas–, corre el peligro de morirse, sin que una voz amiga le infunda ánimos; los restos de su rica sangre francesa vencen al mal; se cura al cabo, y vuelve a la pelea.

Las mismas causas producen idénticos efectos. Los pantanos destilan miasmas, la vegetación exuberante evapora fiebres. El muchacho enferma de nuevo; de nuevo va al hospital.

Comprende que en aquel país la vida se le escapa. Un solo anhelo le inunda el alma; el de regresar pronto a su patria.

¿Será aún tiempo para realizarlo?

Su estado es grave. Hállase muy débil para emprender tan larga travesía. Los médicos se niegan a autorizar la marcha.

El marinero concentra las energías de su espíritu, dispersas por la fiebre. Es un esfuerzo poderoso. Quiere embarcarse a toda cosa.

Su voluntad logra encalmar la calentura.

¡Por fin!... una tarde es comunicada al convaleciente la orden de salida... Embarca.

¡Cuán hermosos los primeros días de viaje! Visiones de colores delicados le bailan en los párpados. Velada entre nubes columbra la silueta de la modesta casa, donde su madre le aguarda, agitando nerviosamente las cortinas de la ventana que da al mar.

A los ocho días la fiebre aumenta. Sus visiones se exaltan hasta ser de una alegría desesperada y loca. A las veces se entenebrecen hasta sumirle en un estado de idiotismo.

Al llegar al mar Índico, los tumbos del barco agravan su estado.

Su cuerpo se convierte en un esqueleto. Al apuntar el alba se arrastra a cuatro pies, hasta alcanzar un puesto sobre cubierta, en el que fijar los ojos en la proa.

Así pasa los días, anhelando de segundo en segundo la aparición de una lengua de tierra francesa, que no llega a ver.

¡Es el libro un grito de angustia, que salta de capítulo en capítulo, de página en página, de letra en letra! Cuando se abre la superficie del mar para recibir los restos amortajados del marinero enfermo que volvía a su casa, sentimos humedad en los ojos.

¡Ventajas de leer un libro a los tres o cuatro años de publicado! La novela de Loti tiene hoy una actualidad cual nunca la soñara su autor. Este *barco-cementerio* que en estos días ha arribado a un puerto de Galicia, llevaba a bordo cien novelas *vivientes*. Las de otros tantos soldados muertos, arrojados al mar en el camino.

De haber leído el libro de Loti hace unos años, el dolor que en él se canta hubiérame impresionado ligeramente. Las vías de la evolución suelen ser dolorosas. En la obra de colonizar un territorio se dan por descontadas muchas lágrimas y muchas muertes...

Pero como *Matelot!* nos hace pensar en esa gran catástrofe, que hallamos a la vuelta del litigio cubano, adquiere la novela un simbolismo terriblemente trágico. Es toda una juventud la que se va, la que se muere, la que regresa inútil para la vida del trabajo. La base, el fundamento, el núcleo nacional se debilita, se resquebraja, y uno se pregunta angustiado... ¿quedará algo sano?

Al terminar la lectura del libro de Loti, mil pensamientos generosos bullen en mi cerebro. ¡Ah!, ¡si yo fuera gobernante, cuán poco tardaría en poner fin a esta hemorragia, operada en el cuerpo de un anémico!

Si cuando menos fuera archimillonario y poderoso, ¡con qué entusiasmo costearía verdaderos hospitales de piedra, que reemplazarán allá en Cuba a los barracones de madera! Organizaría una cruzada de médicos y medicinas, y otra de señoras, que recibieran en los puertos a los soldados enfermos.

Haría mucho de ello por caridad; haría también mucho por egoísmo, por el interés supremo de conservación social, para que no faltaran brazos a mis fábricas, para que con la muerte de esos hombres, no se me colgaran de los talones los ancianos, las mujeres y los niños sin pan.

Por desgracia, los lectores españoles de *Matelot!* somos literatos, gentes sin poder y sin dinero... ¡Qué hemos de hacerle!

P. D.– Leo de nuevo la novela.

Reparo en una dedicatoria, que se había deslizado inadvertida.

Dice así:

A S. M. Doña María Cristina,
Reina Regente de España.

PIERRE LOTI.

Madrid, octubre de 1897.

UN SUICIDIO

> Ayer mañana se suicidó, en la calle de Rosales, un soldado del regimiento de Cuenca llamado Alberto Cortés.
> Se asegura que la causa del suicidio consiste en que dicho recluta estaba destinado a Cuba.
>
> (De *El País*.)

Es la última fase. La primera ya la hemos olvidado, y apenas hace dos años que se manifestaba. Era cuando esos miles de hombres, que consumen sus años de servicio en frotar correas, en pelar patatas y en llenar cubos de agua, se alistaban entusiásticamente para ir a la guerra, prefiriendo el corretear por la manigua, al vivir amortecido y sedentario del cuartel. ¿Qué les esperaba en Cuba? Café, tabacos, un paseo militar, matar al *viejo chino* y acabar con las partidas de bandoleros.

Luego se enteraron en los cuarteles de que no todo era en Cuba mulatas y tabacos, paseos y café. Entonces se apelotonaban los reclutas, en derredor del compañero que sabía leer y buscaban con los ojos angustiados, en las aún frescas planas del periódico, noticias fidedignas acerca de la fecha del próximo sorteo. Las compañías se convirtieron en mercados de hombres. Quién se cambia por diez duros, quién por ciento, quién por mil. Fue problema de ofertas y demandas. Se cotizaba la carne para el vómito, como en la Lonja de Víveres de La Habana se cotizan los fardos de tasajo. Pero los cupos se cubrían y los soldados, cabizbajos, siguieron embarcando.

[107]

Simbolizan la tercera fase esos reclutas que, en Valladolid y en Santander, pedían que los ricos les acompañaran, que se cumplieran las leyes, que se diera satisfacción a lo que ellos estiman ser de justicia.

Y ese soldado, que prefiere la muerte en un minuto, a la muerte en dos años de fiebre y de fatigas, que todo lo abandona con tal de no ir a Cuba, representa la escena final en el sangriento drama de nuestras guerras coloniales.

En la primera fase el pueblo hacía coro al entusiasmo militar. Los soldados llevaban guitarras, las mujeres les repartían besos, las corporaciones –más tacañas que las mujeres– regalaban cigarros, las músicas escoltaban al Ejército hasta el tren o hasta el barco; retumbaba en los aires el ¡Viva España! de un himno de zarzuela, y partían los reclutas soñando con galones, mientras los paisanos profetizaban triunfos. En los adioses posteriores no se escucharon músicas ni vivas; el pueblo despedía con pañuelos, húmedos los ojos, resellados los labios, caídas las cabezas. Hoy en día se agrupa en asambleas, aún no se niega a que sus hijos vayan a la guerra, pero un frenético anhelo de nivelación le sacude las vértebras, de su garganta brota un grito de dolor, que atraviesa las ciudades y aldeas y escala los cuarteles, sin curarse del ¡alto! que pronuncian los sorprendidos centinelas. Mañana, cuando la ley se cumpla, en lo que reza con el ingreso en filas, pobres y ricos dirán con el recluta suicidado: «¡A la guerra de Cuba ¡no vamos!, aunque se pierda todo, aunque tengamos que abandonarlo todo!»

Así el Gobierno tradujo los primeros desencadenados entusiasmos con la fórmula: «La guera con la guerra»; las incertidumbres de aquel pueblo, que al despedir a los soldados interrogaba al vacío horizonte, con un programa enclenque de reformas; el anhelo presente de justicia, con la concesión de la plena autonomía; las futuras inquebrantables resistencias, con la liquidación de las colonias.

Triste, muy triste el posible Sedán colonial, para un pueblo que, como los ancianos, pervive de recuerdos; pero aún más triste el símbolo de ese muchacho que prefiere la muerte a la guerra, más triste que al llegarnos el Sedán ultramarino, coronemos el fracaso de cuatro siglos con el suicidio. Pero el Sedán en lejanas posesiones no es la muerte; ese Sedán pudiera ser la vida.

Arrastra España su existencia deleznable, cerrando los ojos al caminar del tiempo, evocando en obsesión perenne glorias añejas, figurándose siempre ser aquella patria que describe la Historia. Este país de obispos gordos, de generales tontos, de políticos usureros, enredadores y «analfabetos», no quiere verse en esas yermas llanuras sin árboles, de suelo arenoso, en el que apenas si se destacan cabañas de barro, donde viven vida animal doce millones de gusanos, que doblan el cuerpo, al surcar la tierra con aquel arado, que importaron los árabes al conquistar Iberia; no se ve en esas provincias anchurosas, tan despobladas como estepas rusas; no se ve en esas fábricas catalanas, edificadas en el aire, sin materia prima, sin máquinas inventadas por nosotros, sostenidas merced al artificio de protectores aranceles; no se ve en esas minas de Vizcaya, de donde salen toneladas de hierro, que pagan los ingleses a cuatro o cinco duros, para devolvérnoslas en máquinas, cuyas toneladas pagamos nosotros en millares de pesetas; no se ve en esos vinos, que para que encuentren compradores han de filtrarse por los alambiques de Burdeos; no se ve en esas ciudades agonizantes, donde la necedad ambiente aplasta a los contados espíritus que pretenden sustraerse a su influjo; no se ve en esas Universidades de profesores interinos; en este Madrid hambriento; en esa prensa de palabras hueras; mírase siempre en la leyenda, donde se encuentra grande y aprieta los párpados para no verse tan pequeña.

Si ella se viera tal como es, el posible desastre no la sorprendería tanto. Sirven las colonias a pueblos apiñados, que necesitan hallar sus alimentos en tierras más fecundas que la suya; con fortunas menesterosas de colocación; no a pueblos pobres, sin nada que ofrecer a los frutos del trópico, sin manufacturas que compitan con las extrañas; de población escasa que aún no ha trabajado el patrio terruño; tal vez sin capitales para las propias empresas. Nosotros no teníamos para América y

Asia, sino ladronzuelos de la política y órdenes religiosas. Eso enviamos; ¡así nos lo pagan!

Muy triste, muy triste el desastre que amaga; pero si él nos sirviera para reconcentrarnos en nosotros mismos, para meditar por un momento, y obrar en consecuencia, removiendo con decidido espíritu los obstáculos que a nuestro bienestar se opongan... ¡bienvenido el Sedán doloroso!... Dentro de varios lustros ¡*algo* habría en el mundo que se llamara España!

Madrid, noviembre de 1897.

FRENTE AL CONFLICTO

(FRAGMENTOS)

Madrid, febrero, marzo y abril de 1898.

I

A la vista del *Maine* al puerto de La Habana ha sucedido la del *Montgomery* al puerto de Matanzas. El Gobierno de Washington mantiene en el mar Mediterráneo los tres cruceros, que envió a las costas griegas, a raíz de estallar el conflicto cretense. No conforme con ello, se apercibe a transformar los transatlánticos en talleres navales e imprime a sus arsenales inusitado movimiento.

Y si nuestra calidad de hombres de progreso, o lo que es lo mismo, de hombres de razón y de conciencia no nos vedara creer en que una nación libre pueda concebir el propósito de atropellarnos brutalmente, semejantes aprestos haríamos pensar que el Gobierno de Washington considera llegado el momento, previsto en el Mensaje de MacKinley de emplear los cañones yanquis, para acabar con la cuestión de Cuba.

Para la prensa de oposición sin excepciones, ya es llegado el instante supremo de la guerra.

Sólo nos resta dar la última mano a los barcos en reparación y dirigir un *memorándum* a *Europa*, exponiendo la razón que nos asiste en la lucha, siquiera, como teme *El Imparcial*, no nos produzca el *memorándum* ni la ayuda de un mal escampavía.

[111]

Y con todo, ¿no es ya hora de recordar a cuantos periódicos empujan al Gobierno a soluciones de violencia, que la violencia nos ha traído a la actual situación?

II

He leído lo siguiente, en un comunicado que al periódico habanero *La Lucha*, dirige el capitán de la barca «Josefa»:

«Quince minutos después de haber ocurrido la explosión del *Maine*, pasé con mi barca cerca del vapor mercante *City of Washington*, y vi que éste se alejaba del lugar ocupado por el crucero de la Marina norteamericana.

El Washington llevaba a remolque tres botes del *Maine*, que estaban esperando que terminara la comida, con que se obsequiaba al comandante y a los oficiales de aquel barco.»

Es decir, que el Capitán Sigsbee ha mentido descaradamente al declarar que se hallaba a bordo en el momento de la explosión; es decir, que la oficialidad de la Marina de guerra norteamericana se permite emborracharse fuera de a bordo, cuando se encuentra en aguas enemigas; es decir, que mientras los oficiales norteamericanos banquetean, los nuestros arrostran el peligro para librar de la muerte a sus compatriotas; es decir, que para excusar su negligencia y cohonestarla, los marinos yanquis han osado achacar a un pueblo caballeroso y noble la culpa de un crimen cometido por su falta absoluta de disciplina, previsión, sobriedad y valor..., pues entonces no sé que nos arredra, ni sé qué nos detiene..., ellos tendrán dinero y barcos, si no tienen más corazón y más nobleza, aún les falta mucho para que lleguen a ser nuestros iguales... pero, ¿es tan fuerte el corazón como la coraza de un buen crucero?...

III

Antes de un año se habrá representado en nuestros teatros una traducción, un arreglo o un plagio de *Cyrano de Bergerac*.

El protagonista de la obra de Rostand, simboliza el carácter español, tal como lo dibujaron nuestros clásicos. Noble, orgulloso, pobre, poeta, espadachín, suaviza y hace amable su escepticismo por un culto ferviente a la amistad, al extremo de que llega a sacrificar su pasión única, la pasión de su vida, en holocausto de un amigo.

Va a la guerra con su regimiento de los segundones de Gascuña, los españoles sitian su campamento, lo asaltan y, cuando todo se ha perdido y apenas quedan cinco o seis soldados en pie, Cyrano empuña la bandera y prorrumpe en la antigua canción:

> Nous sommes les cadets de Gascogne
> De Carbon de Castel Jaloux,
> Joueurs et bretteurs sans vergogne...

Tan sobrehumana despreocupación agita en los espectadores ese rincón del alma, donde duermen los épicos arranques del pasado.

También hoy nuestro campamento está asaltado. De un día para otro se declarará la guerra.

Esta campaña puede costar la ruina, quizás haga que no se paguen los cupones ni los sueldos.

Y la gente discurre por las calles, vestida de fiesta. Cuando no un estremecimiento de júblio, una curiosidad infantil nos sacude los nervios, como ante la inminencia de un espectáculo grandioso.

Oigo un delirante ¡Viva España!, el viva asoma en mis labios, en tanto que, por dentro la imagen de Cyrano rompe en el amargo: *Nous sommes les cadets de Gascogne!*

IV

¿Quién desea la paz? ¿Quién opta por la guerra? ¿Habrá crisis? ¿Se someterá el Gobierno? ¿Intervendrán las naciones? ¿A quién apoyarán éstas? ¿Es cierto que el Papa ha escrito a la Reina, invitándola oficialmente a que solemnice la Semana Santa, concediendo a los insurrectos una tregua, que facilite la pacificación?

No hay respuesta posible, nadie se entiende; las columnas de cada periódico se dan unas con otras de cachetes. Ayer era MacKinley quien había pedido la mediación; en cambio los periódicos ingleses aseguran que la hemos mendigado de puerta en puerta.

Ayer parecía que el Gobierno, perfectamente unificado, iba a la guerra con perfecta serenidad de ánimo. Hoy, por lo visto, Moret y Gullón tiran de un lado, Xiquena y Correa de otro, y Sagasta no sabe por dónde.

Para aumentar la confusión está esa prensa de actitud anfibiológica. Ayer, los periódicos más conservadores venían trinando contra el Papa; la prensa carlista estuvo furiosa contra el Vicario de Cristo. Los militares comenzaban a gritar; la palabra crisis sonó en todos los oídos.

Hoy el conflicto parece conjurado.

Se dice que Austria, al igual de Roma, aconseja el armisticio y aun el abandono de Cuba. Se nos amenaza con que en una guerra perderíamos todas las colonias y se derrumbaría el Trono. Se añade que Francia, para empujarnos al armisticio, ofrece velar en lo sucesivo por las instituciones, persiguiendo e impidiendo toda clase de conspiraciones organizadas en su territorio.

Se asegura que la campaña belicosa de la prensa no ha tenido otro objeto que hacer cierta presión para que no nos fuera tan desfavorable una mediación acordada hace ya tiempo.

Y prosiguen, con todo, los aprestos guerreros.

....

¿Qué pesadilla es ésta?

V

Concedido el armisticio a los rebeldes cubanos, satisfecha, por tanto, la petición de las potencias, todos los indicios debieran ser de que caminamos hacia la paz, a una paz quizás no muy gloriosa, a una paz que nos la imponen desde fuera, al fin y a la postre a una paz en que cesara ese derroche de hombres y dinero, empleados con tan poco provecho.

[114]

Y, sin embargo, todos los indicios son de guerra. Las gentes se amotinan, asegúrase que ciertos ministros se llaman a engaño, que la intervención ha sido un simulacro preparado desde casa, para ceder ante la simulada coacción de Europa, en lo que no podíamos ceder ante la coacción norteamericana.

Los periódicos son denunciados, los corresponsales no pueden comunicar noticias, se anuncian nuevas manifestaciones y pasan de doscientos los detenidos.

Por otra parte, salen los regimientos para Baleares, para Canarias, para todas partes, y los cónsules norteamericanos se despiden de los gobernadores de las colonias; los de la península se reconcentran en Madrid y el ministro plenipotenciario envía a su familia al extranjero.

En los círculos ya no se discute, se grita, se disputa, se vocifera, como en las plazuelas.

El gobernador llena las calles de agentes de Policía. Los partidarios de la paz –que no son pocos– insultan a los amigos de la guerra –que son bastantes– quienes replican en el mismo tono.

...¡Tremendo dilema el que habrá de resolver el Gobierno!

¿Cómo ir a la guerra si se le prejuzga desastrosa? ¿Cómo hacer la paz frente a la prensa y al pueblo enloquecido?

¿Hay algún héroe que se atreva a garantizarnos la victoria? ¿Hay alguien que ose salvar la patria resistiendo a la opinión exacerbada?

VI

Luce hoy un sol magnífico y suave, esplendoroso y halagador, brillante y tibio; un sol de abril. Hechas las visitas religiosas que la Semana Santa impone a nuestro pueblo, agrúpase una multitud alegre y bien vestida en la anchurosa calle de Alcalá.

Hay sol.

Los que ayer predicaban la guerra, se felicitan de que la mediación de las potencias haya orillado el conflicto.

El patriotismo belicoso parece vincularse en las mujeres.

¡Cuán hermosas desfilan, la cabeza adornada con claveles amarillos y rojos, el talle ceñido por cinturones de oro y gualda!

Me creo poeta y poeta patriota.

Mi pensamiento brota en verso.

Allá va:

> En estas horas de anhelosa espera,
> llevan nuestras más lindas criaturas
> la nacional bandera en las cinturas.
> ¡Ay! ¡Quién pudiera
> perecer abrazado a la bandera!

VII

No sé cómo juzgarán la prensa y los partidos políticos el mensaje de MacKinley, cuyo texto nos comunicó *El Imparcial* gastándose dos mil duros en un despacho telegráfico. Documento es ése para estudiarlo con gran calma, con la calma y serenidad que requieren aquellos hechos que deciden del porvenir de una nación. Si realmente hemos cometido un gran pecado al consentir una concentración de campesinos, que ha inutilizado para siempre cuantas tentativas hiciéramos o podamos hacer en lo futuro por arraigar la patria española en el corazón de los cubanos, ésta es la hora de pensar si vale una colonia que tanto nos cuesta y seguirá costando, una guerra internacional, en la que expondríamos las restantes colonias, que tanto porvenir ofrecen, por concesión de más o concesión de menos.

Y si realmente no hay motivo humanitario alguno, que justifique esa intervención armada, con que nos amenaza en sus últimos párrafos el mensaje de MacKinley; si realmente es culpa de los americanos, y no nuestra, la sistemática oposición que hacen a la madre patria sus hijos los cubanos; si realmente ese mensaje es una provocación sangrienta, escudada en la fuerza y sin otro motivo que la fuerza misma, es hora también de reflexionar sobre si España ha de consentir que hoy día los Estados Unidos, y mañana otra nación cualquiera, hagan impunemente de este país desgraciado, campo de sus ambiciones, terreno conquistable, comarca de botín y de reparto.

Y en ambos casos, la situación requiere serenidad y calma. Bien está que el pueblo, el pueblo impresionable y vocinglero, se lamente de una situación creada por ajenas y propias faltas. Lo que no está bien es que hombres que si hoy militan en partidos extremos, tal vez mañana contraigan las responsabilidades del poder, sean los azuzadores y los portaestandartes del motín. Cierto que se frustran sus propósitos. Si consultamos a las redacciones de los periódicos no encontraremos más que partidarios de la guerra; pero, seamos francos, si consultamos a las clases sociales que envían sus hijos a la guerra, las cuatro partes de España optarán por la paz.

Al iniciarse las manifestaciones bajo los balcones de la Peña, respondieron los socios de este círculo aristocrático:

–Vayan ustedes a... paseo.

Al tratar de arrastrar los manifestantes a un grupo de obreros que salían del taller, replicaron éstos:

–Vayan ustedes a la guerra.

Estas opiniones son también dignas de ternerse en cuenta.

VIII

Jamás se habían coligado tantos elementos para promover una asonada. Hanse encontrado en la Puerta del Sol la plana mayor de los carlistas, de los republicanos, de los romeristas y los descontentos de los partidos que en el poder turnan y no han logrado alterar sensiblemente el orden público. Viéronse hasta cuatrocientas personas conocidas en pequeños grupos, que pacíficamente se disolvían al llegar los guardias; daban vivas y mueras juntos Joaquín Dicenta y el barón de Sangarrén: nada más.

Quieren la paz las clases acomodadas, los hombres de negocios, para proseguir en su obra de colocar la industria y el comercio españoles a la altura que corresponde a una nación civilizada. La quieren los pobres, para ir recabando paulatinamente su derecho a la vida y al bienestar. Odian la guerra los primeros, porque sobre ellos pesan los impuestos y gabelas consiguientes; ódianla los segundos, porque están ya cansados de dar sus hijos para defender una isla, en la que, ni tienen ascensos que conquistar, ni empleos que conseguir.

De otra parte el carlismo se disuelve rápidamente. El partido que hace algunos años dominaba por entero el campo vascongado, no tiene ya fuerza, ni para lograr un acta en Tolosa, ni en Azpeitia, ni en Durango, ni en Guernica, esos pueblos cuyos nombres nos suenan como las Mecas del tradicionalismo. El acta alcanzada por Malla en Estella ha sido un regalo del Gobierno. Los carlistas lo esperan hoy todo de una sedición militar, porque carecen de fuerzas para organizar un movimiento de importancia.

El republicanismo, por su parte, está disuelto, despedazado, sin programa, sin jefes, sin partido. ¿Quiere esto decir que hayan absorbido los partidos gubernamentales a los de perpetua oposición? Nada de eso. No contará hoy el fusionismo con cien hombres más que en 1885. Es que el ideal político ya ha muerto y cualquiera que sea la bandera que enarbole un candidato a prohombre, apenas si hallará a sus familiares dispuestos a defenderla.

Por eso hoy día, que se han coligado romeristas, revolucionarios y carlistas, no han encontrado eco en el país. ¿Coreará el ejército sus gritos?... Compendia esta pregunta muchas angustias y muchas esperanzas.

...El pueblo pide paz; mientras los hambrientos de poder vociferan por las calles, la nación enmudece y a lo sumo se dice para sus adentros:

–Sigan su curso los sucesos.

IX

La excitación de días anteriores ha dado paso a una calma absoluta.

–¿Qué ha sucedido?

El hecho es muy curioso. He tenido ocasión de hablar últimamente con varios norteamericanos que residen en España. Les he hablado de la guerra, y no creían en ella; aseguran que su Gobierno no tiene ni siquiera un pretexto serio para declararla, y que la mayoría de su país no la quiere. Es una carta de Denver (Colorado), que aún conservo, me dice otro norteamericano, que por allí la población está indignada contra la prensa y contra los políticos, que llevan a los Estados Unidos a un militarismo despótico y odioso.

¡Y, sin embargo, aquellas Cámaras acuerdan la expulsión perentoria de España de las tierras cubanas!

También en España, leyendo a los periódicos, se cree que el pueblo arde en deseos de guerrear; ¡y el país ha aplaudido la concesión del armisticio!

...Según todas las probabilidades, antes de una semana va a correr la sangre de dos pueblos que no *quieren batirse*.

¡Todo el progreso de este siglo ha servido para entregar el destino de las naciones a aventureros de la política y de la prensa, cuyo juicio está falseado constantemente por la excitación artificial en que viven! ¡La obra de Jorge Washington ha producido unas Cámaras que proclaman solemnemente el derecho de la fuerza!

Sea.

La fuerza humana es un compuesto de potencia, tenacidad, entusiasmo y convencimiento de que asiste la razón al combatiente.

Se ha dicho que perdíamos la campaña de Cuba, por carecer del entusiasmo que presta la convicción de que se defiende la justicia.

Ahora veremos la proporción en que entra en el compuesto *fuerza*, la conciencia colectiva del *derecho*.

LA MARCHA DEL REGIMIENTO

Camino de la estación del Mediodía va un regimiento de línea. Catorce kilómetros de marcha por la carretera, con todo el equipo, el correaje y el armamento, han fatigado a los muchachos y andan con la cabeza caída y el uniforme blanqueado por el polvo; blancas las correas, blanco el pantalón rojo, blanco el capote azul, blanco el rostro, dibujando el conjunto perfiles empolvados.

Marchan de dos en dos, por entrambas aceras, pensativos, melancólicos, al cruzar los arrabales.

Se acercan al centro de Madrid, se oye un ¡viva España!, ordena el coronel formar de a cuatro, la música entona un pasodoble, la gente se amontona alrededor del regimiento, y como movidos por un resorte, los cuerpos de los soldados se yerguen, las cabezas se levantan, los encogidos pechos se desdoblan, una sonrisa cruza mil semblantes, los ojos se iluminan y el cansancio desaparece. ¡Que no se diga que parecen muertos! Muévense los brazos con gallardo brío, el paso se encauza y acelera.

La gente prorrumpe en vivas estruendosos, una imagen brillante, algo así como una borrachera de valor y de triunfo, cruza, como una ráfaga de viento, los mil espíritus de un mismo *cuerpo* y el regimiento se aleja entre la multitud entusiasmada.

A las veces asoman por los ojos de los expedicionarios tristes remembranzas; el último apretón de manos del padre que se volvió de espaldas para no dejar ver las lágrimas; el llanto franco de la madre, de la hermana y de la novia, sus últimos abrazos, que aún parecen se les cuelgan del cuello.

[121]

Pero la música prosigue entonando el marcial paso-doble. Óyense a lo lejos los vivas de la gente; ¡atrás las penas!, ¡erguid el cuerpo!... ¿qué se pierde, si en todo caso se pierde la vida?... Por de pronto se abandona la existencia cuartelera, vida de cepillar botones y de frotar correas...

Al salir de Madrid el regimiento, con rumbo a las Baleares, parece la estación del Mediodía un inmenso escenario en el momento de la apoteosis. Se suceden sin tregua los vivas frenéticos, cien banderas se agitan en los aires, cien mil personas escoltan al ejército, agrupándose a lo largo de la vía férrea en una extensión de más de una legua.

La apoteosis se repite en todas las estaciones del camino.

En un pueblo –Alcalá de Henares– las casas se cierran; mujeres, niños, viejos y enfermos corren a la estación. El himno de Cádiz retumba a los vientos.

El labriego sacude su escepticismo habitual respecto de las cosas públicas; por una vez endereza el cuerpo, encorvado perpetuamente, sobre el arado y se quita el sombrero, saludando las banderas que ondean en el tren militar, las mismas banderas que tremolaron los manifestantes y depositaron en las manos del ejército, para que con su pecho las defienda.

Es un delirio loco. Por todas partes –en Aragón muy especialmente– las estaciones desbordan muchedumbres. Junto a la silueta del campesino se divisa la del médico y la del alcalde, tal como las dibujan los caricaturistas; aquí y allá aparece el tipo sano y simpático de nuestro cura de misa y olla, que con la cara sofocada de rabia y la teja en la mano, depone por un día la prédica del Evangelio, y sintiéndose español de cuerpo y alma, grita a los soldados que respetuosamente le saludan: –¡A ellos, muchachos, a ellos, y enseñadles a tener vergüenza!

De los pueblos más pobres, aportan los *maños* cestas repletas de vino y vituallas. En lo alto de un cerro asoma un aragonés clásico, con el pañuelo en la cabeza, que cierra los puños y agita los brazos, señalando el horizonte que la locomotora va ganando.

En Calatayud hay diez mil personas en la estación.

Separadas de la multitud yérguense unas seis soberanas mocetonas, de estatura majestuosa, colores frescos y caderas olímpicas.

En sus cuerpos egregios parecen encarnarse los dioses fecundos del cielo pagano...

...Al zarpar de Barcelona la gente ocupa hasta las vergas de los barcos mercantes.

Y al terminar el viaje, cuando el cansancio rinde a los soldados, entre las negruras de la ausencia, se destaca una visión halagadora, la de las aragonesas de Calatayud, imagen de triunfo y de vida.

¿Qué importa la guerra?... ¿Qué la muerte?... En esas caderas arrogantes cabe otra España, si acaso ésta se hundiera.

Mallorca, abril de 1898.

EL «SÍ» A LA MUERTE

(Después del combate de Cavite.)

Sumido en un anonadamiento sombrío y desesperado colgué la pluma por algunos días. ¡Hablan con tal elocuencia el cañón y el telégrafo, que es enteramente ociosa la labor del comentarista! ¡Oh!... ¡si las máquinas de imprimir no fueran al fin y al cabo máquinas, e indiferentes, como tales, a los matices del dolor, yo enviaría mis cuartillas en blanco, arrugadas por las redondeces de las lágrimas, como las cartas de la lejana mujer querida!

¡Demos de lado al llanto! El dolor es hermoso, pero inútil, completamente inútil. España tenía que decir «sí» a la guerra; y al hacerlo descontaba sus catástrofes. El llanto enerva: hacinemos energías, fundamos nuestros cuerpos en lo cuerpos de los marinos y de los soldados, infundamos nuestra alma en la suya, nuestra vida en su vida y luchemos todos juntos, luchemos, porque nuestra razón de ser siempre ha sido la lucha y no íbamos a desmentirnos en la hora suprema.

Tal vez cuando estas cuartillas se publiquen haya noticias del combate decisivo que ha de librarse en el Atlántico.

Yo espero que las campanas han de echarse a vuelo al conocerse el resultado; espero en ello, porque quiero seguir creyendo en la Justicia. Pero si así no fuere, si las fuerzas ignoradas que rigen los destinos de los pueblos han condenado al nuestro a perder una tras otra sus colonias en el siglo que expira, si la Historia expansiva y conquistadora de nuestra patria ha de acabarse con la

centuria; si los cañones yanquis han de borrar el *plus ultra* de nuestra raza, quiero, al menos, como español y
como artista, que nuestra caída sea bella; quiero al menos que si no hemos sabido decir «sí» a la vida, sepamos
decírselo a la muerte, haciéndola gloriosa, digna de
España.

Mas ¡parece mentira! Hay, por lo visto, quien no quiere que no sea hermoso el gesto. Los mismos que, a todo
trance, han sido obstáculo para toda solución de paz, se
revuelven ante las primeras noticias catastróficas. Por
aquí asoma el motín, allá amenazan las partidas arma-
das... ¿Qué es eso?... ¿Vamos a reproducir el caso del París de la Commune?...

...Eso ya no sería la muerte serena del que espera
tranquilo el juicio de la historia; ésa es la agonía repug-
nante del condenado que forcejea en el patíbulo, des-
trozándose su propio cuerpo, desmintiendo la leyenda
de su valor, malgastando sus últimos minutos, deshon-
rando el prestigio de la muerte.

SOBRE EL DISCURSO DE LORD SALISBURY

Días atrás dijo Lord Salisbury, primer ministro inglés, en un discurso de cuya letra me he olvidado, pero cuyo fondo se me ha grabado indeleblemente en la memoria, que hay pueblos grandes, ricos, populosos, refinados, que en pocas horas pueden movilizar ejércitos inmensos, y pueblos agónicos, desprovistos de estadísticas capaces de velar eficazmente por su engrandecimiento, pueblos del pasado, cuya razón de ser estriba en su Historia solamente, pueblos que se aferran con extraña tenacidad a la conservación de su territorio, pero cuyos tristes destinos les impelen, de un modo inexorable, a perder sus colonias, en beneficio de los pueblos grandes.

La lectura del discurso me causó una impresión profundísima. Era en un crepúsculo de la tarde; leíalo en el balcón y los contados transeúntes que pasaban, por debajo de mí, llevaban impresa en los rostros la melancolía desesperada del acabamiento de un día más. Frente a los colores espléndidos y suaves del crepúsculo, sentíase un inefable decaimiento, como si toda luz fuera a apagarse para una noche eterna. Las caricias del aromado viento sugerían la imagen de un moribundo gigantesco, como si al agonizar la tierra de una enfermedad voluptuosa y extraña, placentera e incurable, exhalase un suspiro de enervador perfume.

¡Pueblos de tristes destinos!, repetíame yo, una y cien veces, con la tenacidad de una obsesión, cual si las palabras del ministro inglés significaran una sentencia de muerte. A las veces quería revolverme contra la sentencia. «¡De modo, decíame, que hay un ministro que se

[127]

atreve a proclamar en un Parlamento el derecho de los pueblos poderosos a repartirse los despojos de los débiles!... ¡De modo que dos mil años de cristianismo y un siglo de derechos del hombre, no han producido más que el sancionamiento, la justificación de la menos disimulada de las brutalidades!»

En la escalera de la casa se me subieron por las piernas dos rapaces, regordetes como los ángeles que pinta Rubens, colorados como las fresas en el mes de junio. Y como los niños se ríen para desarrugar el ceño de los hombres tristes, mis pensamientos negros se disiparon pronto. Con un muchacho al hombro y otro al brazo, entré en la tienda, para dejar los niños junto al padre.

–¡Qué hermosos chicos tiene usted, don Pedro! –le dije al bueno del tendero, un hombre de cuarenta años, sano y rollizo.

–Muchas gracias.

Y al dar las gracias el marido, la mujer me miró, dándomelas con los ojos; miró también a su marido y hubo de ruborizarse como una niña.

Hace tiempo que la feliz pareja me da envidia. Y entonces no pude menos de decírselo.

–¡Ya ve usted! –me respondió el marido–. Nos queremos. Yo no puedo salir de la tienda. Hace quince años que nos casamos; si por un compromiso tuviera que pasar tres o cuatro horas con mis amigos, me llevaría un gran disgusto.

Y marido y mujer se miraban, se sonreían y se ruborizaban.

Y yo también me sonreía; me sonreí pensando en que como esa pareja hay cientos de miles en España; pensando en que la mayoría de nuestras parejas son así, porque la española es una raza sobria, fuerte, fecunda y sana. ¡Llámenos enhorabuena Salisbury pueblo agonizante, si con aplicarnos el adjetivo redondea un párrafo! Pienso en las muchedumbres sajonas, ebrias y brutales, sosteniendo en fuerza de alcohol una vida de animalidad dóciles al látigo del policía, pero desenfrenadas en cuanto se les sueltan los grilletes, pienso en el color pálido del obrero de Londres, o de Manchester, de

Birmingham o de Liverpool, en la mujer sajona, de cuerpo seco y alma enjuta, y me sonrío, como el tendero de mi casa.

Podrán los cañones de los yanquis cerrar el libro de nuestra historia colonial; podrán poner término provisionalmente a nuestras gloriosísimas conquistas; pero la conquista ha sido sólo uno de nuestros múltiples destinos; quizás por haber consagrado a ella nuestras iniciativas hemos sufrido la decadencia agrícola, la comercial, la artística; pero, rascando un poco en la agrietada superficie social, se encuentra siempre el pueblo sano y fuerte, fecundo y vigoroso que tanto admira un enemigo de la raza latina: Max Nordau.

...¡Pregunte Salisbury a los chicos de mi tendero si están agonizantes!

EL GENERAL LEYENDA

(Después del combate de Santiago.)

Otro contraste... El general fracasado, denostado, desprestigiado, el general a quien hizo regresar de Filipinas el clamoreo anatematizador del pueblo, desatado por las empresas periodísticas, el general acusado de débil, erígese allá en Cuba, en general Leyenda, en resucitador de las muertas historias del pasado.

«Hijos somos de los sitiados en Gerona y Zaragoza», responde al Arzobispo de Santiago de Cuba, que le suplica autorice la capitulación de la segunda ciudad cubana. «¡Muramos o venzamos!», dice a los habitantes de la Gran Antilla, aterrorizados ante el magno desastre de la escuadra.

Destruidos nuestros barcos, no le es dable confiar en la posibilidad de un desquite, que franco para el enemigo el camino por donde envíanse refuerzos y obstruido definitivamente para nosotros, podrán defenderse nuestras plazas, hasta que contra ellas acumule el adversario un número abrumador de fusiles y cañones. ¿Y luego?... Luego el *muramos* del general pasará de su colocación en una frase, a efeciva dolorosa realidad. Las palabras del general Blanco no son tropos; estriba su grandeza en la verdad que encierran, y quedarán, como han quedado tantas otras frases trágicas, ya que con frases trágicas se ha escrito nuestra historia.

Pero Blanco, Blanco que en Filipinas, contra la opinión de la Junta de Autoridades y de los ilustrísimos se-

[131]

ñores periodistas, mantuvo las tropas en la capital, durante largo tiempo, juzgando preferible una prudente expectativa a una muerte gloriosa, pero estéril, el sensato Blanco no ignora cuán necesarias son a la nación las vidas de esos heroicos defensores de Cuba, ahora más que nunca, cuando necesitamos de todas nuestras fuerzas y de todos nuestros hombres para regenerar y rehacer la patria, para levantarla de entre sus ruinas, para hacer revivir en ella el simbolismo consolador del Ave Fénix.

¿Y, entonces, por qué repite la fórmula de supremo y desesperado pesimismo, con que la prensa nos ha embarcado en las luchas coloniales a todo trance? ¿Por qué es su fórmula la paradójica de *hasta el último soldado*, fórmula de desaliento con que preténdese alentarnos?

Porque Blanco ya ha probado lo que cuesta la enemiga de las máquinas rotativas. Cuando salvó, con su prudencia, el dominio español sobre Manila, resistiéndose a dejar desguarnecida una ciudad minada por el laborantismo, desenfrenáronse contra él los estrategas periodísticos. Bastaron para anular su honrosa historia, seis artículos y cuatro telegramas. Blanco regresó sin gloria, escarnecido en su historia de militar, de político, de patriota y hasta de caballero. ¿Qué ha hecho la prensa de mi honor?, venía a preguntar en la angustiosa memoria que dirigió al Senado.

Blanco ha probado lo que cuesta la enemistad de las rotativas. Y como sus quejas de otro tiempo se embotaron contra la omnipotencia de las prensas, y como Blanco es hombre –hombre hambriento de gloria– todo lo sacrifica hoy, para obtener la efímera corona, con la que premian los periódicos a aquéllos que les sirven en sus campañas; lo sacrifica todo, hasta su vida, que es la vida de los 100.000 soldados que le acompañan en la heroica agonía de Cuba española.

Esas frases de Blanco, retumbando a través de las redes de alambre, con que la prensa ha aprisionado al mundo, forjarán la mejor arma de que puedan disponer los rotativos en su lucha contra la paz. Coreados por la música halagadora de las leyendas, arrastrarán quizás a las muchedumbres al suicidio y harán callar tal vez a los espíritus serenos, que se alzan frente a la locura general, para señalar al pueblo español el sendero olvidado del trabajo, por el que llégase seguramente a la soñada reconstitución.

Nada importa. La prensa tendrá un héroe: si la muerte sobreviene, el gesto será bello... y el párrafo triunfal.

¡Prensa omnipotente, señora del mundo, tú que dispones de la paz y de la guerra, tú que posees, como Dios, el don de cegar a los pueblos a quienes perder quieres, tú que formas y reformas los Gobiernos, tú que llevas escuadras poderosas al fondo de los mares y enloqueces a los hombres más cuerdos, continúa impertérrita tu marcha, amontona catástrofes, haz que abracen en las arenas tropicales los soldados de tierra a los marinos muertos!... ¡Cuando todo se haya hundido, tú te erguirás en los escombros, arrojando, como Júpiter, rayos, inculpaciones y responsabilidades sobre los supervivientes... y los últimos ahorros de las madres, anhelosas de conocer el género de muerte de sus hijos, esas últimas monedas de cobre, entrarán en tus arcas!

Mallorca, julio de 1898.

TRADICIÓN Y CRÍTICA

Prosiguen los reveses, continúan, a pesar de la suspensión de garantías, las discusiones entre los partidarios de la guerra y los amigos de la paz, y el Gobierno, colocado entre unos y otros, aguarda a los acontecimientos futuros, sin perjuicio de gestionar la suspensión de hostilidades.

Los dos bancos redoblan sus argumentos, y a falta de argumentos sus inventivas. Dicen los guerreros que la paz no debe hacerse, hasta que hayamos recobrado parte de lo perdido; replican los pacíficos que cada revés remacha la imposibilidad de esos desquites anhelados. Táchase a éstos de sobrado prudentes y amigos del cupón; incúlpase a aquéllos de pretender la ruina total de la patria, para caer sobre ella, como las aves de rapiña sobre los cadáveres.

Y nadie se entiende. No pueden entenderse. Prescindiendo de personalismos y de razones de polémica, hay en esta discusión, como en todas las discusiones trascendentales, dos instintos superiores e incompatibles entre sí, que se esconden tras los razonamientos, como suelen esconderse los filósofos en sus filosofías, meros rodeos que se toman para excusar y enaltecer sus maneras de obrar y modos de sentir.

Pugnan en la actual polémica el instinto tradicional con el instinto crítico. Cuanto se arguye por los partidarios de la guerra, es un eufemismo para no confesar el evidente desacuerdo entre la España que soñaban, la España de la tradición, y la España que los hechos revelan. Han formados sus almas en el culto a las cosas

[135]

muertas, embellecidas por la pátina de los siglos. Han mirado a su patria bajo la luz esplendorosa del pasado. Y la quieren así... o no la quieren de ningún modo.

El instinto crítico, que ya en tiempo de nuestros padres juzgó el pasado frente al tribunal de la razón, y hubo de condenarlo al conocer la gran debilidad interna que ocultaban los esplendores de otros siglos, se rebela hoy contra esa joroba de heroísmo suicida que nos legó por toda herencia aquel pasado y aspira a conquistarse libremente, la *parte de sol* que aún reserve el destino a nuestra España.

¿De parte de quién está la fuerza?... Los sucesos contestarán. ¿Quién posee la verdad?... No lo sé, pero es lo cierto que, por extraña paradoja, la verdadera fe se halla del lado del instinto crítico.

Porque a poco que se ahonde se encontrará en los defensores del sentido histórico nacional una gran desconfianza respecto de las fuerzas eficientes de la patria. No creen en su porvenir, por eso aspiran a embellecer su presente modesto y humilde, con el cumplimiento de su modo de ser legendario.

Mientras que el instinto crítico, si lucha contra los resabios del pasado, es porque cree en el porvenir...

Mallorca, julio de 1898.

[136]

LA VARA DE MEDIR

Ante el victorioso general americano, negáronse los comerciantes de Santiago a satisfacer los derechos de aduana con arreglo al arancel español. Indignó el hecho a los periódicos que ofician de patriotas. Compartamos por una vez su indignación.

Tal sentimiento subirá de punto, si recordamos que esos tenderos cautos y aprovechados, formarían hace dos meses en las filas de aquellos batallones de voluntarios, tan belicosos frente a los cubanos, cual acomodaticios frente a los yanquis.

Nuestra indignación llegará a la cólera, si pensamos en que de comerciantes se formaba aquel partido titulado español *incondicional (sic)* a quien debemos tantas lecciones de patriotismo los españoles de aquende el Océano. Cuantas veces, desde Prim acá, hemos hablado los españoles peninsulares de liquidar el problema cubano o de solucionarlo por una transacción, replicáronnos esos almacenistas, evocando los manes del Cid y de Pelayo. Y se han dado tal maña en granjearse amistades políticas y periodísticas, que, gracias a ellos, no saldrá España de la Gran Antilla de una manera indignamente humilde, sino después de una heroica y gloriosa hecatombe.

Nuestra cólera se trocará en furor, si se advierte que de todos los causantes de la cubana insurrección el más directo es el comercio. Busquemos tras el fenómeno político el subsuelo económico. Lo político es lo aparente pero también lo secundario. Explícanse las revoluciones políticas en América con la existencia permanente de

[137]

una banda de aventureros hambrientos de dominio. En Cuba se han sublevado aventureros y hacendados, colonos y guajiros, vegueros y menestrales. No podemos, por lo tanto, conformarnos con la indicada explicación.

Hemos visto luchando en Cuba, de un lado el campo, del otro la ciudad. ¿Por qué? Porque en virtud de una absurda y leonina ley hipotecaria, de la influencia absoluta del comercio cubano ante los tribunales y los poderes públicos, y de una peligrosa masonería entre los comerciantes, que triplicaba el precio de las subsistencias y por ende el de los salarios, pesaba un gravamen insostenible sobre cada mata de tabaco, planta de café o tallo sacarino. Cuanto producía aquella tierra, pródiga como un dios, era tragado, absorbido, pulverizado por las reivindicaciones del comerciante prestamista. En vano el labrador cubano mejoraba el procedimiento del cultivo, inundando la isla de millones de máquinas. Su vida, lo mismo la del poderoso que la del más ínfimo colono, la de dueño de un ingenio central que la del sitiero, se ha arrastrado de plazo en plazo, cual la de un presidiario, cual la de un personaje de Sudermann, sujeta al grillete de las hipotecas, que se agranda de día ante los ojos preñados de angustia, hasta que aplasta con el peso de su mole gigantesca.

¡Esos comerciantes podían ser patriotas! Mientras nosotros apenas si defendíamos en Cuba un ensueño o una utopía, con los ríos de sangre encauzados en montañas de oro que les enviábamos, asegurábanse los tenderos en el manejo de la vara de medir.

¡Y esa vara, *incondicionalmente* española, como era elástica, en la hora del desastre se convierte en yarda americana!

Justo castigo a nuestra cándida ignorancia y a nuestros inocentes romanticismos.

EL «SÍ» A LA VIDA

Como en los días de liquidación forzosa de un comerciante, llegan malhumorados a su caja vacía los acreedores, para disputarse los escombros, y estallan de una vez las disensiones con los amigos y con la familia, contenidas durante largos años por el decoro social, así se ensañan contra la nación despedazada, todos los egoísmos y todos los rencores que acallaba un patriotismo de galería, más ficticio que real.

Del lado allá del mar, los *leales* habitantes de la *siempre fiel* isla de Puerto Rico, reciben con festejos, con palmas y con vivas al invasor ejército yanqui.

De lado acá, el agio sin entrañas y sin patria, saluda con un alza una nueva imposición del vencedor.

La pelota de las responsabilidades corre de mano en mano. Cuando el gobierno la suelta, la prensa apercíbese a rechazarla: y así va de la marina a los políticos, del ejército al pueblo, de los escritores a la aristocracia, de la clase media al clero. Cada uno acusa a los demás; el *yo pecador* apenas se reza y sólo divísase la sombra de un propósito de enmienda.

Aquí y allá ánzanse grandes grupos de gentes que levantan los puños y se miran con aire sombrío. Los de la izquierda exclaman: ¡esos obscurantistas!; replican los de la derecha: ¡esos liberales!

Un grupo diminuto, entre la multitud que vocifera, tiende las manos, en símbolo de paz y dice con su actitud:

«No es hora de disputas, sino de dolorosa contricción. ¡Paz para todos! Pensemos, estudiemos, trabajemos, unidos y constantes. Ésa es la redención; la de la patria y la de las culpas de sus hijos.»

¿Se impondrá este grupo diminuto a la multitud exasperada? Si triunfan fatalmente en la historia los principios de vida sobre los de muerte, la victoria de esos pocos no es dudosa.

Pero han de tener en cuenta, que después del dolor, es necesario un heroísmo más tenaz y más intenso para decirle «sí» a la vida, que para decírselo a la muerte.

RESPONSABILIDADES

Pues bien, hablemos de responsabilidades, ya que las responsabilidades constituyen la obsesión, la monomanía y el delirio de cuantos escriben fondos en los diarios y de cuantos peroran en los cafés, sobre las cosas de la guerra. Hablemos de responsabilidades. Repitamos, con los periodistas iracundos, que es preciso recaiga la catástrofe sobre los que la provocaron con su ceguedad e imprevisión; repitamos con ellos que esto no puede quedar así, que esto no ha de consentirse impunemente, que urge la aplicación a los culpables del castigo merecido.

¡Depuremos las responsabilidades!... A las órdenes de ustedes, señores periodistas. Pero veamos, ante todo, si somos nosotros los más autorizados para lanzar la primera piedra... ¿Por qué no habíamos previsto la trascendencia de las insurrecciones coloniales?

Hablemos con los de más renombre, con los que disponen de una tribuna donde se les oye, donde se les escucha... Y ya que el don profético no les haya sido otorgado, ¿por qué, cuando menos, no han estudiado esas insurrecciones? Porque por ninguna parte hemos leído esos informes minuciosos, imparciales, escrupulosos, dignos, con que los grandes diarios de otros pueblos suelen ilustrar a sus lectores. Aquí no hemos visto más que noticias de reporteros, *infundios* de advenedizos ambiciosos y aduladores del poder o del *perro-chico* y artículos en los que se han hecho y deshecho, levantado y derribado, docenas de reputaciones, tan inmerecedoras de los elogios que se les prodigara, como de los ata-

[141]

ques con que se las desprestigió. Y no hablemos de los consabidos articulejos de seguro efecto, en los que evocando los manes de una serie de muertos respetables, excitábase al pueblo a oficiar de alcalde de Móstoles, probándole, como dos y dos son cuatro, que cada español vale por una veintena de extranjeros, cual si todas las balas de nuestros enemigos fueran de algodón.

Sí, señores periodistas, en lugar de estudiar seriamente la causa de las guerras coloniales y sus remedios menos costosos, *como era nuestro deber*, nos hemos salido con el repertorio de las frases sonoras: ¡integridad, más soldados, más empréstitos, derramemos hasta la última gota de sangre!... Eso era más cómodo que pensar maduramente, sobre todo para decirlo desde la sala de una redacción. Pero, ¿no alcanza alguna de esas responsabilidades de que hablan los periódicos a los periódicos mismos, que han engañado al pueblo al tomarle la medida de sus fuerzas?

¡Responsabilidades!... Y el pueblo mismo, ¿no es responsable de haberse dejado engañar por los periódicos y desgobernar por los políticos?

¡Responsabilidades! Tiénenla los Gobiernos españoles, que son y han sido siempre malos; los partidos de oposición, que no han sabido mejorarlos; las clases directoras, que han conducido mal; las clases dirigidas, que se han dejado llevar como rebaños.

Tiénenlas nuestros antepasados, que fueron un imperio colonial tan grande, que para sostenerlo hubo de despoblarse el suelo patrio, el *verdadero* suelo patrio. Las colonias son como el coche propio. Si lo gasta un banquero repórtale beneficios metálicos, por el tiempo que le ahorra en viajes; si lo usa un agente de Bolsa de cuarto orden, es una gabela que le atrasa y le ahoga y acaba con su crédito y con los muebles de su casa, si no sabe desprenderse del artefacto en tiempo oportuno.

¡Responsabilidades! Las tiene nuestra desidia, nuestra pereza, el *género chico*, las corridas de toros, el garbanzo nacional, el suelo que pisamos y el agua que bebemos.

Y pues que a todos alcanzan, a todos –aun a los *sensatos* que la catástrofe preveíamos nos llegan, por no haber gritado contra la corriente patriotera de los periódicos, hasta quedarnos sin laringe–, todos, absolutamente todos debemos sufrir el castigo.

Sufrámoslo con paciencia y dignidad. Enmendemos antiguos yerros y añejas torpezas.

Nos aguarda una tierra que se ha quedado sin labrar porque la guerra le llevó los brazos. Trabajémosla con ahínco. Hay mil cosas que están por hacer. Necesitamos mejores alimentos, mejores viviendas, regar la tierra seca, inventar máquinas, crear obras bellas, mejorar la instrucción, aprender toda la ciencia de la vida, dulcificar nuestro carácter para los odios y templarlo para la faena. Todos tenemos culpas; todos debíamos expiarlas trabajando doblemente y en labores fecundas.

...Pero, ¿a qué seguir hablando este lenguaje? Es el lenguaje de la sensatez. No os oirían. Vale más repetir con los periódicos, completando sus frases con las que en los tinteros se les quedan:

–Es preciso castigar a mucha gente, es preciso hacer rodar muchas cabezas, es preciso que a las guerras coloniales, y a la guerra con Norteamérica, siga la guerra civil para digno remate del siglo. ¿Tenemos muertes?, ¡pues más muertes!... ¿ruinas?... ¡pues más ruinas!

DOLOR QUE PASA

(Bilbao, septiembre 1898.)

Era anteayer, y la población entera se apiñaba en las calles de Bailén y la Estación, a fin de presenciar el lúgubre desfile de *muertos vivos*, que al despedirse de nosotros nos devuelve la América.

Nadie quería retirarse sin escuchar de labios de un repatriado, el relato, ¡tantas veces oído! de los sufrimientos de aquel ejército. ¡Qué han de decir los pobres! ¡Qué saben ellos! Sus miserias nos son conocidas; antes de que soñaran en expresarlas por medio de esas cartas arrugadas y sucias, que al cabo de unos meses conviértenlas los pueblos peninsulares en Evangelios del Calvario español en tierras Antillanas, la prensa nos las había referido circunstanciadamente.

Que no comían, que bebían fango, que caminaban entre pantanos, con el agua al cuello, que las fiebres los diezmaban diariamente, que no podían sostener el fusil, que las bombas yanquis pulverizaban las trincheras y a sus defensores, que se batieron con una sola línea de fuego y muerto que caía era baja definitiva, imposible de cubrir... Todo eso dicho lo sabíamos ya y mejor que ellos.

Pero es lo que ellos dicen:

–Era para visto y no para contado.

El interés que nos despiertan los repatriados no está en lo que nos dicen, sino en lo que vemos. Cien libros leídos, uno detrás de otro, no causarían la impresión que la vista de uno de esos cuerpos fláccidos, que arrastran

[145]

los pies, y cuya voz sin timbre evoca en los recuerdos de nuestras lecturas, la de aquellos condenados de la Bastilla, que, al cabo de veinte años de soledad y de silencio, salían a la calle, sin acertar a hablar, ni a conocer a sus más cercanos allegados.

El interés está en la palidez exangüe de sus rostros, en sus amortecidos ojos, donde no se vislumbra un rayo de luz, como no les hablemos del pueblecillo en que han nacido, sugiriendo en su cerebro atontecido la imagen de

> los brazos de las madres
> que encuentran al volver

de que, piadoso, nos habla Grilo.

Y ese interés lo satisfizo con los ojos abiertos el pueblo de Bilbao. ¿Qué imán tendrá el dolor para que nos atraiga de ese modo? ¿Por qué las gentes corren a buscarlo? ¿Por qué tantas miradas lo sorbían con lamentable voluptuosidad?

...Era ayer y el cuadro cambiaba por completo. Un soplo de alegría vigorosa animó los alrededores y el casco de la villa. Al cielo ensombrecido de la víspera sucedió el sol esplendoroso. Mientras la tragedia ambulante del tren de repatriados entristece otras regiones, Bilbao aprovecha la diafanidad del día, para gozar plenamente la presencia del sol.

Nada más animado que la romería de Santurce; nada más consolador y alegre que el espectáculo de Algorta, Portugalete y Las Arenas; nada más lujoso, nada que dé mejor idea de la alegría de vivir que el aspecto de nuestros paseos y de nuestros teatros.

...Diga lo que quiera el pesimismo, no moriremos de un hartazgo de dolor.

III
HACIA OTRA ESPAÑA

III

HACIA OTRA ESPAÑA

LO QUE NOS QUEDA

Vana esperanza la de los escritores que confían en que surja repentinamente del desastre una pléyade de nombres nuevos y vigorosos, capaces de reconstituir, por arte mágico, la nacionalidad enferma y caduca. Júzgase por muchos semejante la situación actual de España a la de Francia de 1870. ¡No parece sino que nos sumimos conscientemente en el engaño para cerrar los ojos a una realidad cruel!

En la Francia del segundo imperio había algo que olía a podrido, débil e inseguro; condenado a irremediable muerte; era el imperio y sus gobernantes y sostenedores. Pero al lado de aquel ejército sin estado mayor, sin plan y sin generales, al lado de aquella organización política, cimentada en el lujo, en la orgía, en el placer trivial, existía una universidad, en cuyos claustros se engendraban una ciencia, una crítica y un arte nuevos; existía un labriego que convertía la campiña francesa en un jardín, aplicando a la tierra el descubrimiento del laboratorio; existía un comercio y una industria enriquecidos y florecientes, estimulados por las exposiciones oncenarias a mantenerse a la cabeza del movimiento universal.

Llegó el desastre napoleónico y de la universidad salió el pensamiento director de una nueva organización del Estado, basada en la concurrencia general y en la absoluta libertad de crítica; la industria y el comercio proporcionaron administradores a la Francia republicana y el campesino reanudó su labor inteligente y sostenida.

Era la Francia de Napoleón III, como uno de esos árboles de los jardines parisienses, que en los días de Car-
nestolendas se cubren de serpentinas y confeti. La tor-
menta de Sedán barrió aquel oropel, evocador de
pasadas conquistas, y el árbol, libre de vano adorno que
impedíale recibir de lleno sol, agua y aire, cobró mayor
empuje, echando nuevas ramas. Es que la planta era ya
fuerte de por sí; con adornos o sin ellos, su savia rica, el
árbol arraigaba en tierra fértil.

Pero en nuestra España despoblada, atrasada e ignorante; en nuestra nación envilecida por el sistema de la
recomendación y del compadrazgo, que ha disuelto las
más justas ambiciones y anulado los estímulos más nobles, así en la política como en las ciencias y en las artes, así en el comercio como en la producción industrial
y agrícola, ¿cómo ha de brotar espontáneamente gente
nueva, capaz de llevar a feliz término la obra magna de
nuestra regeneración?

Demos de lado, como quieren esos ilusos escritores, a
los hombres que han intervenido en los negocios públicos durante el último cuarto de siglo. ¿De dónde echa-
mos mano para suplantarles con ventaja? ¿De las frac-
ciones revolucionarias de derecha e izquierda que
empujan al país a un desastre más completo e irremediable, porque en su ansia impotente de dominio no ven
otro camino de lograrlo, que la total desmembración de
España?

Se nos dice que esa gente nueva no ha de salir de ninguno de los actuales partidos políticos. ¿Y dónde se halla?, preguntamos nosotros. ¿En esa prensa que sólo
cuida de halagar al público, cultivando y endureciendo
sus prejuicios? ¿En esa literatura enclenque y mustia,
que cuando se aparta del clasicismo ya sin jugo cae en
el tipo chulesco, simpático a nuestra holgazanería o en
la lejana imitación del vaivén de las modas extranjeras?
¿En esas universidades, cuyos claustros de profesores
interinos deben sus cátedras al favor oficial y cuyos
claustros de estudiantes sólo se agitan para adelantar
las vacaciones o para defender a los catedráticos tildados de tauromáquicas aficiones? ¿En esa industria y en
ese comercio incipientes, que harto hacen con cuidarse

[150]

de lo que más directamente les atañe? ¿En esa tierra cuyos dueños la abandonan, para hacer míseramente el señorito en las ciudades y cuyos arrendatarios se encorvan sobre ella, por un impulso cien veces secular y del mismo modo que sus antepasados de cien siglos?

Pero si no puede improvisarse una legión de gente nueva, con estandarte fijo y disciplina bien probada, existen, sí, digámoslo en buena hora, en la política y en la prensa, en la literatura y en la universidad, en el comercio y en la industria, individualidades sensatas y enérgicas, perspicaces y estimuladas por una ambición noble, que en público y en privado venían advirtiendo a la nación el gran engaño de que era víctima al juzgarse y las grandes enfermedades que la debilitaban. Existen esas individualidades y en ellas depositamos nuestra esperanza de mejores días, porque en lo sucesivo no las acallará, como antes, el espectro coloreado y fascinador de pasadas leyendas, si no que al contemplar la abierta llaga de las actuales desventuras, sentirán duplicarse la necesidad de hablar en alta voz, conforme se lo dicta su conciencia, el lenguaje viril y sincero que se debe a los pueblos caídos, cuando se ansía su resurrección y se cree en ella.

Esos hombres, que hoy son pocos y están desparramados, mañana serán más, se organizarán, agruparán en torno suyo a la nación trabajadora; de ellos saldrá otra España más noble, más bella, más rica y más grande.

Empeño es éste no de un día, sino de una generación, de una generación bien templada, que luche heroicamente, con el fecundo heroísmo de la paz, contra la ignorancia y la rutina y contra ese otro enemigo, harto más temible que la rutina y la ignorancia, contra ese pesimismo desesperanzado que hace a muchos examinar con indiferencia la posibilidad de un desmoronamiento general, ante las dificultades que se plantean con el problema de nuestra renovación.

Antes de que ese empeño se realice hay que remover muchas cosas, hay que discutir muchas otras –aunque dejando en pie un buen número de ellas– y sobre todo, hay que esperar sin impaciencias, obrando sin desmayos. Nada importa esta espera, que fijo el pensamiento en la tremenda lección, con los ojos clavados en la tierra sin ventura donde nos hizo nacer el destino, deberán aprovechar los hombres de buena voluntad la política interinidad que se les impone, en pensar con madurez el modo de concertar eficazmente sus propósitos, antes de ocupar las avanzadas sociales, para aleccionar desde ellas, desde los puntos de mira, a la nación aletargada y pesimista, con el ejemplo de esa vida de trabajo incesante, en la que encuentran los individuos sus horas de alegría positiva y los pueblos sus días de esplendor.

LA PRENSA

I. Su delito

Para D. Miguel S. Oliver

Si usted, mi distinguido compañero, permitiérame «llevar vela en este entierro», yo diría que juzgo harto indulgente su criterio, al expresar que, en el asunto de las guerras, sólo estriba el gran pecado de la prensa rotativa en no haber sabido hacerse cargo de la opinión del cuerpo nacional, en no haber escuchado la voz de la provincia, reflexiva, pacífica y trabajadora, frente a la de la *golfería* cortesana, perezosa, romántica y guerrera.

Yo no puedo convenir en que la evolución *industrial* del periodismo haya trocado en mero reflejo del criterio público, lo que antes fuera poderosa incubadora de opiniones. Yo sé que el oleaje tumultuoso del «devenir» social ha transformado radicalmente el periodismo; y así como el taller embrionario de otro tiempo, cuyos productos debían fama, crédito y mercados a la exclusiva habilidad del operario, sucedió la manufactura, en la que, merced a la división del trabajo, el éxito de la empresa no dependía de la habilidad técnica de *cada obrero*, sino del mejor acoplamiento de los esfuerzos de todos, de la dirección más acertada de la tarea *en común;* y a la manufactura reemplazó el maquinismo de las grandes fábricas, donde aparécesenos el jornalero completamente extraño a la cosa creada y convertido en siervo de la máquina creadora; así el periódico evangelizador de hace diez lustros, obra en cuanto a lo espiritual casi exclusiva de un escritor prestigioso, sucedió la *manufactura* periodística, en la que prevaleció, sobre los arranques desiguales del genio, la metódica labor de seis u ocho adocenados constantes en la brega, hasta que el *maquinismo,* el *factory system* de los diarios modernos, parece reducir al escritor a vil aditamento del aparato telegráfico o a relleno miserable de los borceguíes del reportero.

Parece, he dicho, pero no es así. Hubo un tiempo en que el maquinismo, presuntuoso como todo advenedizo, juzgóse capaz de «hacer periódico» sin otra ayuda. Don Ramón Mandly, ex administrador de *El Imparcial,* hubo de exclamar un día: «Con los chicos de la caja me sobra para redactar el primer diario de España.»

Se imaginó que el *non plus ultra* periodístico sería el diario «mencheta», compuesto exclusivamente de telegramas y noticias. La ilusión pasó pronto. El *menchetismo* –valga la palabra en honor del activísimo hombre que ha modernizado nuestra prensa– es hoy imprescindible en un periódico. Don Ramón Nocedal o don Francisco Pi, con todo su talento, no han podido hacer de *El Siglo Futuro* ni de el *Nuevo Régimen* periódicos leídos, por haber prescindido del *factory system.* Pero el *factory system* no es la prensa, siquiera sea condición esencialísima de su auge. Esa misma intensificación de la vida moderna, que hizo al público apartarse de los periódicos doctrinarios y preferir aquellos otros, que le enteraran de cuanto ocurriera de notable, le llevó a demandarles el comentario de los hechos y la previsión de sus consecuencias. En efecto, no obstante, el espíritu nivelador de las muchedumbres, no tardó en echar de ver el público, que el comentario no brota espontáneamente, sino en muy pocos casos, a la simple lectura de la noticia. Es necesario especular sobre ella, conocer sus antecedentes, estudiarla con madurez, abstraerse, pensar, dedicarse únicamente a la investigación de las concausas que unen entre sí a las noticias de una índole dada. No tardaron en advertir las multitudes que el comentario del escritor profesional era y debía ser más acertado y de mayor alcance que el suyo propio. En este concepto, la misión del ciudadano se reduce a examinar ligeramente si están acordes los hechos con las previsiones que hechos anteriores sugirieron al articulista. En este concepto no ha hecho el maquinismo periodístico más que decuplicar los deberes y responsabilidades del escritor, al implantar el sistema de «Gobierno por la prensa», que ha sustituido virtualmente a la utópica «soberanía popular», en todas las naciones democráticas.

De que, en otro tiempo, bastárase un periódico a producir una revolución y hoy toda la prensa junta no pueda organizar artificialmente un cierre de comercios, no ha de inferirse un amenguamiento en el poderío periodístico. Precisamente porque se basta la prensa para poner y quitar Gobiernos, para ordenar la paz y la guerra, para relevar a los jefes de los ejércitos, las multitudes han relegado al olvido el empleo de aquellos motines, manifestaciones, etc., con que acostumbraban a dar *fe de vida*, en materias políticas resueltas contrariamente a sus antojos. En *La fin d'un monde*, Drumond recuerda que cuando era él joven, las gentes solían apalear al prefecto que cometiera un desaguisado, mientras hoy se conforman con que le insulte el periódico que diariamente leen. Es que esa «ejecución en efigie» significa de por sí sola un castigo efectivo y riguroso, sobre todo en unos tiempos en que, merced a lo que llamaría Federico Nietzsche «apogeo de la moral de los esclavos», la sola idea del castigo nos estremece y amedrenta. Dígase, en prueba de este aserto, si produjo otro sentimiento que no fuera de horror aquella noticia, no confirmada felizmente, sobre una sentencia capital dictada en Puerto Rico, por un Consejo de guerra, contra un coronel de nuestro ejército.

No fuera por esta dulcificación, provechosa o insana, de las costumbres, y ante el puntapié que la derrota ha dado a las soflamas belicosas, ¡ya hubieran visto los periódicos y periodistas madrileños si el pueblo crédulo y dócil no hacía con ellos lo que ese mismo pueblo, tan dócil y tan crédulo, hizo, sin fundamento serio alguno, con los conventos y órdenes monásticas hará cosa de sesenta y cinco años!

A mi juicio el delito, el crimen de la prensa consiste, no en haberse equivocado al juzgar belicosa a la nación, sino en un *absoluto incumplimiento de algunos de sus deberes, especialmente del deber de información.* Verdad que las empresas de dos o tres diarios pudieran comprobar la inversión de grandes sumas en pago de corresponsales y telegramas. No lo discuto. Pero, ¿dónde están esas informaciones meticulosas, imparciales, dignas, con que la prensa de otros países ilustra a la opinión, respecto de los asuntos que afectan a la vida nacional? En Francia el sentimiento popular hubo de desbordarse contra Ferry, al advertir las vidas que la conquista del Tonkín costaba. Al Tonkín fueron corresponsales de los periódicos parisienses, desde el Tonkín se convencieron de la relativa facilidad de la conquista y de los beneficios que reportaría. A Ferry y a los periódicos debe Francia esa rica colonia. También a Cuba y a Filipinas fueron corresponsales españoles. Varios de ellos eran incapaces de formarse opinión, sobre ningún asunto de alguna trascendencia. Otros se han ocupado exclusivamente de prepararse una posición fuera del periodismo o de asegurarse un acta para lucirla ante sus compañeros. ¡Ni siquiera se han dado cuenta de la enormidad que cometían!... Pero la ignorancia de la ley no atenúa el delito.

Ese delito pasa a ser un crimen con la reincidencia constante y sistemática. Que en los primeros meses de la insurrección cubana, cuando el cuerpo nacional no se había formado opinión, manifestárase la prensa partidaria de la simple represión es exlicable; tratábase al fin y al cabo del procedimiento más sucinto y no ha de pedírsenos a los escritores de periódicos un don de profecía, denegado al común de los mortales. Pero que ante la inutilidad práctica de las expediciones que se sucedían sin interregnos, ante el derroche infructuoso de miles de vidas y cientos de millones, no se haya la prensa detenido por un minuto, a fin de preguntarse si valdrían las colonias la ruina y despoblación de la metrópoli; que en su soberbia ciega, haya replicado con el silencio o con el insulto, a cuantos hubieron de cumplir, en lugar suyo, este deber patriótico, siquiera careciese su pluma de ese maquinismo rotativo, que hace de la humilde opinión del periodista un torrente que arrolla y arrastra a los poderes públicos; que en su locura estupenda, cuando eran indefendibles las soluciones bélicas, puestos al borde de una guerra con la República norteamericana, a la guerra nos hayan despeñado, porque, según decía *El Imparcial* en vísperas de romperse las hostilidades: «*España ha hecho su historia ¡peleando contra lo imposible!*» y según *El Heraldo*, «*¡frente a la conveniencia nacional se alza la voz del patriotismo!*», como si el patriotismo pudiera ser alguna vez inconveniente... ésa es la cruenta, la magna culpa que en un arranque de cínica sinceridad ha podido *El Nacional* arrojar al rostro de sus colegas rotativos.

No me olvido de aquellos otros grandes diarios que profesaban un criterio más razonable. *El Liberal*, en sazón oportuna, hubo de promover una polémica para defender la conveniencia de *transar* –como dicen en Cuba– el litigio antillano, mediante la después tardía solución autonómica. Empero todas las causas, aun las más sensatas, requieren en sus defensores excepcionales cualidades; arrojo, entusiasmo, ahínco y hasta una dosis de acometividad. Por desgracia, esas prendas eficacísimas estaban del lado de los periodistas bélicos. En lugar de responder a la arrogancia con la arrogancia y a la acusación, *El Liberal* juzgó prudente enmudecer y como las muchedumbres buscan al filósofo tras la filosofía, y no le hallaron de parte de quien estaba la razón, su autonomismo hubo de costar al periódico de la calle del Turco una considerable disminución de la tirada, de la que luego se ha ido desquitando.

El tanto de culpa alcanza, pues, en mayor o menor grado, a todos los periódicos de cierto influjo, mas como las responsabilidades subsiguientes a todos los periodistas nos alcanzan, a todos nos conviene depurarlas.

II. Los diarios madrileños y la vida nacional

Se me antojó cierto día analizar el texto de un periódico madrileño. Se trataba de un diario leído, independiente, escrito para el público, sin otras miras que las de hacerse necesario a las gentes, ilustrándolas con la información fidedigna, guiándolas con el comentario razonado. Recorrí con los ojos los encabezamientos de artículos, telegramas y noticias. Pues bien; las catorce o quince columnas del periódico estaban destinadas:

A comentar palabras del duque de Tetuán, entonando, como era lógico, el consabido «Tío, yo no he sido», de todos los periódicos en el asunto de las guerras.

A relatarnos, con pelos y señales, las idas y venidas, palabras y pensamientos de Toral y Cervera, Pando y Weyler.

A los dichos de Capdepón, de Auñón y de los representantes de la Trasatlántica.

A elogiar a un gobernador civil de provincia.

A detallar media docena de catástrofes.

A popularizar unos cuantos criminales.

A anunciarnos los viajes de siete u ocho personajes.

Al español misterioso de Lisboa.

Al próximo estreno de *La chavala*.

A darnos cuenta de las novilladas de provincias.

A los segundos apellidos de los repatriados.

Y al folletín.

Pero ¡qué!... ¿se reduce la vida nacional al pleito de vanidad entablado, desde hace larga fecha, entre políticos y periodistas, a las cogidas de los toreros, a los crímenes, al asunto Dreyfus, al género *chico* y a la locuacidad incurable de nuestros prohombres, cuando, dentro de casa, mil problemas, a cual más pavorosos, se yerguen ante los ojos de cuantos se atreven a mirar de cara el porvenir?

La nivelación del presupuesto es un interrogante cruel. ¡Y los diarios no dedican un estudio serio a la necesidad de reducir los intereses de la deuda pública, de revisar el Concordato y de abaratar el engranaje administrativo! ¡Aún no he leído una relación minuciosa de los negociados, Cuerpos consultivos y cargos inútiles! ¡Nadie se ocupa en bosquejar un sistema de reducir gastos de guerra, enumerando los empleos civiles que puedan desempeñar los militares!

Fuera empeño meritorio de la prensa estudiar concienzudamente las causas de nuestro atraso industrial y de nuestra postración agrícola. Los periodistas no ense-

[158]

ñarían ciertamente a podar viñas a nuestros labradores, ni a forjar acero a nuestros industriales siderúrgicos, pero despertarían poderosamente el espíritu de asociación en las clases productoras, educarían a nuestros hombres públicos, infundirían el amor al trabajo a una juventud educada para el parasitismo de los destinos.

El mismo problema de la educación parece cosa vedada para los diarios madrileños. Mientras la prensa francesa está en vísperas de remozar el alma de la república vecina, imponiendo un sistema educativo que tienda a crear *hombres libres* y no *ciudadanos* de invernadero, nuestros periódicos apenas han consagrado a tan capital asunto media docena de artículos, tan bien intencionados como vagos e incoloros.

Con la elección del separatista Arana como diputado provincial por Bilbao, y con las demandas de autonomía de los catalanes, ha surgido –y con escándalo– la tremenda cuestión regionalista. Sin esa elección y sin esas demandas, aún no se daría por enterada nuestra prensa. Perdonemos esa incuria, mas era lógico que una vez planteado el problema, inquiriérase su alcance. ¿De qué se quejan catalanes y mallorquines, navarros y vascongados? ¿Por qué piden la autonomía? ¿Por qué hay algunos que llegan a anhelar la independencia? ¿Conviene a España y a esas regiones la autonomía? ¿Nos acarreará la continuación del actual régimen centralista, una nueva serie de conflictos, aún más trágicos que los que hubo de resolver tan deplorablemente el Protocolo de Washington? No falta materia en esas preguntas para que ejerzan útilmente sus actividades corresponsales y reporteros, articulistas y colaboradores técnicos. Los diarios madrileños han salido del paso ocupándose de la salud mental de Arana, empuñando el estro belicoso e insertando sin comentarios un artículo –el único serio que se ha escrito sobre el anti-maquetismo bilbaíno– de Miguel de Unamuno... ¡Y hasta que toda información resulte tardía!... ¡Tal vez importe más el éxito de la última conjura!

No acabaría nunca este artículo si fuere a ir reseñando cada una de las cuestiones trascendentales, que no alcanzan de los diarios de la corte ni los honores de una mediana información. No parece sino que la vida nacional les es completamente extraña.

¡Ojalá la nación no llegue, a su vez, a desinteresarse por completo de la vida de los periódicos! ¡Ojalá logren encauzarse por derroteros más amplios y serenos las actividades periodísticas! Porque deshecha la leyenda, roto el canto, extinguidos los ecos de *La marcha de Cádiz*, y enterrado definitivamente el general *No importa*, España no vive de otra vida afectiva nacional que la que percibe diariamente por conducto de la prensa, y de no poner remedio al descrédito creciente del periódico, ningún freno de solidaridad moral detendrá la explosión descarada de las más ciegas ambiciones individuales o de los más estrechos egoísmos de región.

El peligro es tremendo; la muerte del periódico madrileño es la muerte del espíritu nacional.

III. LOS PERIODISTAS Y LA POLÍTICA

Grandes conmociones preveía la prensa para el caso de perderse las colonias. Suponíanse en primer término, que el quijotismo nacional habría de rebelarse contras las gentes, que con tanta desgracia han invertido nuestra sangre y nuestros caudales. La nación, se nos decía, no puede conformarse con la hipótesis de que obedezca la derrota a su inferioridad en la lucha; el patrio orgullo necesitará culpables, los buscará, los inventará, si es necesario. Lo que la prensa había previsto, es la absoluta tranquilidad que el país ha mostrado, sus demandas de paz, su deposición de orgullo, su triste pero admirable convencimiento de haberse quedado rezagado en la universal carrera del progreso.

Preveíase, en todo caso, un alzamiento militar contra los responsables de la derrota. Nunca nos hemos visto tan lejos de un pronunciamiento. En los rostros de los repatriados de todas clases más se advierte el deseo de descanso, que el de lanzarse en nuevas aventuras.

Anunciaban los periódicos como inminente una tercera guerra civil. Don Carlos de Borbón había prometido vengar a España, y creían a pies juntillas que cumpliría su amenaza. Efectivamente, los prohombres carlistas han recorrido las provincias; decíase que cada junta provincial del partido entrañaba la plana mayor de uno o varios regimientos. Lo que no se sabía es que faltaban los reclutas para esos batallones y el dinero para organizarlos. Como se agrupaban en torno del carlismo los cesantes de la menuda política madrileña, se tomaba esa ficticia ebullición por síntoma de un profundo movimiento nacional. Con todo se contaba menos con que el industrialismo hubiera apagado los rescoldos carlistas en las Vascongadas y Cataluña, las provincias que en otro tiempo proporcionaron oro, brazos y fe a la causa absolutista.

En cambio lo que la prensa no preveía era el recrudecimiento prodigioso de la campaña regionalista, ni la tendencia al separatismo en ciertas comarcas, ni la intensa agitación *antipolítica* de toda la nación.

¿Cómo se explica esta ceguera de los periodistas madrileños? Es que nuestros periodistas se forman y se educan en y para el Salón de Conferencias.

De los 200 escritores que redactan los diarios madrileños, apenas hallaremos una docena que hayan hecho del periodismo su profesión definitiva. Para los más la prensa es el camino; la estación es la credencial, el acta, la gobernación de una provincia, ¡tal vez una cartera! Desde el propietario de un periódico al último reportero, todo el pensamiento del personal de redacción gira siempre en derredor de la política. Tan cierto es esto, que cuando invocan los periódicos en cualquier campaña grandes intereses nacionales, buscan los lectores entre líneas un móvil personal y un mezquino objetivo, porque comprenden que en ningún momento pueden prescindir los escritores de soñar, cuando menos, en una recompensa política a su trabajo mal retribuido.

De esa finalidad política de la carrera periodística, nace el ensalzamiento de tantos personajes desnudos de otros méritos que los que la prensa quiere atribuirles; de ahí el tejemaneje de prohombres; de ahí el elogio sistemático o el silencio benévolo al compañero que alcanza un buen destino; de ahí la penetración con que son tratadas las cuestiones de nombramientos; de ahí el ahínco con que se combaten las inmoralidades cometidas en favor de sobrinos y deudos de ministros –es que instintivamente piensan los periodistas que esas nóminas inútiles les pertenecen por derecho propio– y de ahí, finalmente, el vacío que comienza a notar la prensa madrileña en torno suyo.

Porque los periódicos no dejan de advertir que la nación se les ha escapado de entre las manos. Hace ya muchos años, por ejemplo, que el *nacionalismo* catalán y vizcaíno venía incubándose. Ya en tiempos de Isabel II, siendo el conde Cheste gobernador de Cataluña, prohibió la representación de obras dramáticas escritas en catalán, a menos de que hablara en castellano uno de los personajes. Y, efectivamente, de entonces acá en las obras catalanas el guardia de orden público, el usurero, el recaudador de contribuciones y el marido complaciente, en una palabra, el tipo ridículo u odioso habla en castellano. Hace diez años que ni uno de los muchachos catalanes que han hecho su carrera en la región, se ha afiliado a ninguno de los partidos nacionales. Hechos tan notorios se han deslizado inadvertidos para la prensa, y como la prensa debe desempeñar, respecto de la nación, el papel de los sentidos respecto de los individuos, nadie ha pensado en atajar esa corriente. ¡Qué más! La prensa madrileña nos lanzó a la guerra con los Estados Unidos, o cuando menos no hizo nada para evitarla, suponiendo que pervivía en el país el espíritu del Cid Campeador y el concepto calderoniano del honor. ¡No se había hecho cargo del cambio sufrido en los espíritus! ¡Así se ha indignado contra el laudable ejemplo de sentido práctico y de apego a la vida y a la hacienda que ha dado el pueblo en masa!

El mentís de la realidad a las previsiones de la prensa y el estado actual de la opinión desorienta a nuestros periodistas. No se explican que haya podido formarse el regionalismo a *outrance,* ni la enemiga a los políticos de todos los partidos, ni el sentido práctico sin que esas tendencias constituyeran comités y mendigaran el apoyo de un prohombre. «¿Qué es esto?» se preguntan para sus adentros los redactores de los diarios. Y como no encuentran respuesta que les satisfaga, miran a todos lados, sin que ningún hombre político pueda sacarles de su ignorancia, y acaban por decirse desesperadamente: «¡Es que la nación se hunde!»

Buscan manera de evitar la realización de su lúgubre temor y una vez más muestran que la obsesión de la política no les deja ver claro. Los clásicos periódicos republicanos y carlistas se aferran en sus dogmas sin creyentes; los conservadores y liberales empéñanse en oficiar de Poncio lavándose las manos, y procuran disimular sus temores; periódico hay que vuelve grupas al viejo republicanismo; otros, y no los menos importantes, inventan un nuevo partido: ¡el partido ideal, para uso exclusivo de los periodistas! Es un círculo vicioso: político contra política. Y no salen de ahí.

Pero la opinión general, independientemente de los periódicos, dirígese hacia distintos derroteros. Si nuestros periodistas tuvieran otra idea de la vida nacional que la que perciben por conducto de los periódicos de provincia, los cuales, como ha dicho mi buen amigo don Miguel S. Oliver, ocupados en imitar la confección de los diarios de la corte, maldito si reflejan el color local y las aspiraciones de los pueblos; si nuestros periodistas conocieran el sentir de los millones de gentes que piensan sobre la cosa pública sin ajustar su criterio a las farmacopeas de los partidos, entonces comprenderían las causas por las que llegan tarde las soluciones políticas, cualesquiera que sean. Sucede que las gentes no se fían en que sean honrados otros gobernadores de las provincias; prefieren la modificación de los gobiernos civiles. No creen en que los políticos puedan elaborar unos aranceles razonables. Juzgan más realizable tal misión para las Cámaras de Comercio y los Institutos agrícolas. No piden honradez a los delegados de Hacienda ni a los recaudadores; optan por la cesantía de los intermediarios y por el libre concierto entre las regiones del cupo contributivo. Ya no ansían reformas en el bachillerato ni en la facultad. Estiman más conveniente la suspensión de Institutos y Universidades, para que desaparezca este excedente de profesores sin alumnos, literatos sin público, médicos sin enfermos, abogados sin pleitos, sacerdotes sin feligreses, marinos sin barcos y guerreros

[163]

sin guerras, que pesa sobre los hombros de los que trabajan, y la creación de las Escuelas técnicas, industriales, comerciales o agrícolas que necesite cada comarca. Ya no sueñan con un Estado-Providencia que haga a los hombres buenos, sino con un Estado-Empresa que construya carreteras, levante puentes y tienda vías férreas. No aspiran a que los magistrados sean probos por mandato del jefe de un partido, sino a crearles una posición que los ponga a cubierto de las arbitrariedades del poder. En resumen: la nación no quiere mejor política; anhela el fin de cuanto hasta aquí se ha entendido por política.

Y no es lo más triste para los periodistas que la nación quiera todo esto; lo triste es que el fin de la actual política se impone, so pena de quedarnos sin nación. Es todo un mundo el que se va: el ideal constituyente ha muerto; las regiones más ricas, las más inteligentes, han de obligarnos, sin alharacas ni amenazas, a aceptar esa nueva realidad. Contados están los años del turnar de los partidos; exiguo es el tiempo que queda de vida al monopolio del presupuesto por la bohemia oratoria, leguleya y periodística. Comienza para España la época del trabajo y de la reconstitución.

Mucho pueden hacer los diarios madrileños para que, a su vez, no lleguen tarde todas las soluciones. De acoger con entusiasmo las nuevas tendencias, de compenetrarse en las aspiraciones de la parte más vigorosa del país, aun lograría el periodismo madrileño rehacer su crédito, y lo que aun es obra más provechosa, crear un poderoso lazo espiritual entre los distintos elementos nacionales, lazo que sería obstáculo insuperable para toda tendencia de segregación. Pero dudamos mucho de que comprenda sus verdaderos intereses. Fuera para ello preciso el previo renunciamiento a toda esperanza de intervención en la política; y este renunciamiento requiere la reconstitución del periodismo con elementos completamente ajenos a los partidos presentes y futuros, y puede no ser capaz –quisiera engañarme– de semejante sacrificio; preferirá seguir creando y destruyendo reputaciones de prohombres.

Y, sin embargo, el dilema está planteado: o nuestro

[164]

periodismo se reconstituye con elementos nuevos, o morirá con lo viejo, con la política menuda, con el romanticismo patriotero, con la bohemia de la calle de Sevilla, con el *género chico* de los cenáculos y de las tertulias.

LA MESETA CASTELLANA

Para D. Francisco Fernández Villegas

Sólo a última hora se percatan los hombres públicos y la prensa de la gravedad que entrañan el movimiento regionalista y la marejada de las clases industriales. Para explicar estos fenómenos se nos habla de la *excesiva* centralización de los poderes públicos o de la *excesiva* tolerancia gubernamental, de la influencia disolvente de las ideas nuevas o del espíritu regionalista de la tradición, de la pérdida de los mercados coloniales, del fracaso de tal cual partido, de la dificultad de nivelar el presupuesto, de nuestra penuria intelectual, de la triste liquidación de las guerras. Se confunden los efectos con los pretextos, los pretextos con los motivos, los motivos con las causas secundarias, y las causas ocasionales se toman por genéricas. Pues bien; elevémonos por encima de todo eso. La causa única de la presente agitación está en la meseta castellana.

Nadie se alarme ni se escandalice. Me explicaré. Es un hecho histórico que desde hace tres siglos la raza española ha dejado de evolucionar por propio impulso; no es ya una rueda que da vueltas sobre su eje, no es una espiral creadora de fuerza; es un aro que gira por ajeno empuje, una pelota que se encoge y se extiende en los botes, pero cuya tendencia invencible la lleva a recobrar su contextura interna, empleando sus inertes energías en conservarse semejante a sí misma. La renovación viene de fuera; interesa a la periferia pero no llega al centro; comunica su poder creador al litoral, pero se detiene ante los montes que cierran el paso a la meseta de Castilla.

A la hora actual toda la costa se ha modernizado económicamente. Desde el golfo de Gascuña al de Lyon, en Vizcaya, en Santander, en Asturias, en Vigo, en Huelva, en Málaga, en Almería, en Cartagena, en Valencia y en Cataluña, se ha creado una industria y un comercio europeos, gracias a exóticas iniciativas. Ha sido vana la resistencia del viejo espíritu a las innovaciones en la producción. El proceso económico se cura en salud de escrúpulos monjiles. Cuando da en avanzar, es inútil colocarse entre las ruedas o interponerse en su camino en actitud hostil: avanza indiferente, al mismo paso, y arrolla a los que tratan de obligarle a detenerse. Así ha poblado de fábricas y vías férreas las provincias pastoriles de otros tiempos.

El labriego castellano tiene una tierra llana que debiera ser fértil, ya que la tierra, según el pensamiento de Kropotkine, vale lo que el hombre que la cultiva. Ha de hallar su impulsor el industrialismo en la meseta agrícola, y no, como hoy sucede, una amenaza de paralización.

La pérdida de los mercados coloniales pone de manifiesto la periférica superficialidad de nuestra evolución económica, realizada más bien a pesar nuestro y por desmayada pasividad que no por íntima necesidad y ensueño de creación. De nada sirve que Vizcaya produzca hierros, tejidos Cataluña, azúcar y carbón Asturias, conservas y vino Málaga, mineral Alméria, cobre Huelva, Valencia frutos y objetos de arte y Cádiz ricos vinos. Para que estas industrias se asentaran sobre sólidas bases, sería preciso que el núcleo nacional, el granero, la meseta de Castilla ofreciera un mercado de consumo suficiente. ¿Y cómo va a ofrecerlo Castilla, despoblada por mil guerras, arruinadas por la usura y por el fisco, atrasada porque en ella perviven las odiosas leyendas de los tiempos muertos?

La industria del litoral necesitaría hoy una Castilla populosa, de intensa vida, de ríos canalizados, que ensayara en sus tierras propios inventos de químicos abonos, que derribara las chozas de barro para levantar *chalets* multicolores, que desterrara de sus comidas el tétrico garbanzo –cuya digestión nos encamina a meditar sobre las torturas del infierno– para reemplazarlo por la carne sangrienta y el vinillo ligero que pueblan la cabeza de imágenes sensuales, de formas soberanas y triunfantes. Necesitaría una Castilla alegre y rica, bien poblada por gentes que amaran la vida, que supieran sacar a la tierra lo que la tierra puede dar de sí, y que emplearan estos frutos en mejorar las condiciones de su existencia, en crearse comodidades y bienestar.

¿Y qué se encuentra en la inmensa meseta que se extiende desde Jaén hasta Vitoria, desde León hasta Albacete, desde Salamanca hasta Castellón, desde Badajoz hasta Teruel? Yo bien sé que Castilla, madre pródiga y poco calculadora, se ha quedado sin sangre por darla a un mundo nuevo, por regarla con soberbia grandeza en todos los confines del planeta. Pero vamos al hecho, dando de lado las causas y concausas que lo hayan producido. ¿Qué es hoy Castilla? Recórrase en cualquiera dirección. ¿Qué es hoy Castilla? Un páramo horrible poblado por gentes cuya cualidad característica aparente es el odio al agua y al árbol; ¡las dos fuentes de futura riqueza!

El labriego castellano es pobre y cultiva sus tierras por el sistema del barbecho, cuando el barbecho sólo se concibe en regiones ricas de ganado y ayunas de pastos. Se me dirá que faltan brazos. Cierto, pero Castilla los ha dado sin resistencia para las guerras.

El labriego castellano carece de aguas... y en lugar de canalizar el Duero, el Guadiana y el Tajo, se talan montes... y se organizan rogativas.

El labriego castellano carece de abonos animales y en lugar de fabricar abonos químicos, apenas si los usa en contadas comarcas.

El labriego castellano necesita asociarse para lograr introducir más prácticos procedimientos de cultivo. Lejos de hacerlo, malgasta su vida en pleitear por lo más nimio, y en crear, dentro de cada pueblo, odios que se transmiten de padre a hijo y que le colocan bajo el dominio absoluto del usurero, del abogado o del cacique.

El labriego castellano, rico o pobre, necesita aprender

a cultivar su hacienda, y en lugar de educar a sus hijos en las granjas agrícolas extranjeras o españolas, consume sus ahorros en hacer de ellos abogados, médicos o sacerdotes, gentes que carecen del amor a la tierra y cuya educación les impulsa a abandonarla, dejándola en manos de arrendatarios sin entusiasmos y sin ambición.

¡Y esto no puede seguir así! Hubiera proseguido indefinidamente, hasta la muerte por consunción y por fatiga de no haberse identificado las costas de España con el movimiento industrial del mundo moderno. Pero el litoral es rico, populoso, joven y fuerte. No se resigna a demoler sus fábricas para reanudar los bucólicos idilios de los tiempos añejos. Se opuso a la guerra con los Estados Unidos y precipitó su término porque comprendía que aquí dentro, en la casa solariega, había luengas tierras en las que encontrarían ocupación los capitales y talentos ociosos; porque advertía instintivamente que la patria no estaba en condiciones de sostener su ensanche territorial, mientras no se apurara el territorio nativo, estrujándole hasta que produzca lo que debe darnos para vivir sin gran penuria, obligando a la agricultura a que fuerce el paso, para acoplarse a los adelantos del comercio y de la industria.

Para acometer tamaña empresa, no son partidos políticos, ni sentimentalismos literarios, ni ideales democráticos, ni tradiciones de orden, ni estados constituyentes, ni épicas glorias, ni marchas de Cádiz, ni profesores de humanidades, ni varones ilustres y probos lo que se necesita; sino bancos agrícolas, sindicatos capitalistas, ruda concurrencia, brutal lucha.

Hay que llevar a la tierra la empresa por acciones; así comienza a hacerse en las nacientes industrias azucareras; así ha de realizarse en las vinícolas y en las otras explotaciones del suelo. La vida del litoral es imposible mientras el centro no se renueve y no progrese. Está el obstáculo en ese expedienteo que malogra cuantos ensayos se hacen para crear nuevas fuentes de riqueza. De ahí la intensa agitación antipolítica que aun los ciegos advierten.

No se hable ya de democracia, ni de tradición. No se hable de fundir los partidos actuales en dos grupos, representante, el uno, de las fuerzas liberales del país; órgano, el otro, del sentimiento religioso nacional. Esos tópicos no engañan ya a nadie. Preténdese, con ellos, mantener la hegemonía del Estado en favor de la bohemia leguleya que ha venido gobernando desde hace un siglo. Pero la continuación de esa bohemia significa la del expedienteo y, por tanto, la paralización indefinida de los capitales muertos, y esto no han de tolerarlo las clases industriales; es ya mucha su fuerza económica.

Acaso, acaso el esfuerzo que realizan los actuales partidos políticos por conservar su influjo, sea el postrer combate del espíritu viejo contra la innovación económica, la más fundamental de las innovaciones todas. Acaso, acaso conservadores y liberales, republicanos y carlistas, distrayendo con sus luchas mezquinas la atención general, sean los últimos defensores que encuentren los terratenientes castellanos, que verían reducirse a la nada sus ya mermadas rentas, tan pronto como las industrias agrícolas, con la perspectiva de un salario aceptable, les arrebataran los colonos.

Pero esta resistencia no puede durar mucho. La riqueza de esos magnates está en la tierra. La de los industriales está en los Bancos, se moviliza en todo momento, y servirá de llave para abrir las compuertas del Estado a una invasión de empresas nuevas.

La colonización de Castilla es un doble negocio de importancia suprema para el litoral. Colócanse los ociosos ahorros y se agrandan mercados a las industrias.

Para los intelectuales es esa colonización un nuevo ideal. No se le tache de prosaico y pobre. ¡Pobres de ánimo son los poetas que no acierten la epopeya del dividendo y del negocio, cuando es tan tentador el empeño de transformar nuestro romanticismo huero en práctico entusiasmo!... ¡Ciegos los que no vean que si esta industrialización del suelo castellano no acierta a realizarla el litoral, se verificará de todos modos, mas no por manos españolas!

LA ASAMBLEA DE ZARAGOZA

¿Saldrá algo de la Asamblea de Zaragoza? Mi respuesta sobrepuja en optimismo a la que pudiera dar el más entusiasta de sus congresistas. Creo que no *algo* sino *mucho* ha salido ya por el mero hecho de haberse celebrado la Asamblea.

Hablan en ella las únicas clases que a hablar tienen derecho; las que han realizado cuanto estaba de su parte para impulsar a la nación en la corriente de la vida moderna. En un país donde la aristocracia se deja disolver mansamente, sin hacer nada por restaurar los esplendores de otros tiempos; donde el pueblo, por no comprender ni anhelar nada, ni siquiera comprende que en los anhelos socialistas está el único camino por el que pueda conseguir su mejoramiento; aquí en donde la mayor parte de la clase media se consume miserablemente en el hampa política y carece de ulteriores aspiraciones que las de colocar a sus hijos en los paupérrimos destinos con que el Estado absorbe las iniciativas individuales; aquí en donde la clase intelectual, aferrada a un tradicionalismo muerto, no ha sabido cantar más que la tristeza de la leyenda desaparecida, como si la belleza de las calles rectas, y de la fábrica, y de la máquina, y de la Bolsa no fuera de un orden anterior y superior a la de la tortuosa callejuela medieval, en cuanto aquélla representa la eterna hermosura del movimiento y la otra el agrado pasajero que en los días de tristeza nos produce la calma; aquí las únicas capas sociales que dan muestras de actividad eficiente, de actividad que nace más de la ambición que de la necesidad, agítanse y

[173]

se reúnen para remover las aguas muertas del organismo nacional.

Esto ya es algo, esto ya es mucho. Preguntar si los acuerdos tomados por la Asamblea pueden llegar a realizarse desde la *Gaceta,* es ya cosa distinta. Y aun en este caso mi respuesta es optimista. Los partidos políticos harán cuanto puedan para embotar la agitación que simboliza la reunión de las Cámaras. Parte esta agitación de la base de que mayores milagros administrativos pueden esperarse de un oscuro tenedor de libros que del militar más afortunado, del legislador más ínclito y del orador que mejor posea el arte mágico de arrastrar a las muchedumbres. ¿Pero qué fuerza pueden oponer los partidos políticos?... ¿La de la inercia? La victoria es de los que caminan... ¡Mayor fuerza de inercia tiene el mar, y de cien buques que emprenden una marcha llegan a puerto los noventa y nueve!

Lo necesario es marcar bien el rumbo: las Cámaras lo han marcado. Hay entre las demandas que solicitan de los poderes públicos utópicas reformas más bien basadas en la noción de la justicia que en el sentido de la realidad. Pide la Asamblea, por ejemplo, la implantación del servicio militar obligatorio, sin reparar en los gastos que esta reforma originaría, cuando al mismo tiempo tienden las conclusiones a aminorar la tributación en general. Ésa es una debilidad que no puedo perdonar a la Asamblea. ¡Buenos estamos de dinero y brazos para suprimir las redenciones y arrancar al trabajo la juventud en masa! En este asunto lo único práctico es aumentar el ingreso por las redenciones, disminuir los cupos e ir amortizando el presupuesto de la guerra.

Otra de las conclusiones románticas de la Asamblea es la referente al mejoramiento de los obreros.

¿No resulta algo extraño que pida el capital el mejoramiento del trabajo? Se me objetará que el interés de esos capitalistas hacia los proletarios es el mismo que siente un carretero respecto de su ganado. Me callo en este caso. Tal vez se trate de mejorar al obrero español, para no necesitar del extranjero, cuyo salario cuesta caro.

Es igualmente censurable que no haya redactado la

Asamblea un plan de presupuestos, conteniendo un índice completo de las oficinas y empleos suprimibles.

Con todo la mayoría de las demandas, las relativas, por ejemplo, a arrancar los nombramientos a la política, al castigo de los litigantes pobres, a la inutilización de los procuradores, a las penalidades contra los terratenientes que ocultan su propiedad, a la incompatibilidad de los cargos de diputado y senador con el de consejero de Compañías ferroviarias, a las de reducción de Universidades, etc., etc., inspíranse en un sentido práctico, que no despertará aplausos en las muchedumbres, pero que entraña en su fondo una asociación de las clases productoras capitalistas en un sentido económico, y dando de lado diferencias de ideas que ya no existen, sino aparentemente, en los pueblos que viven la vida del siglo.

Porque a poco que en ello reflexionáramos veríamos cómo en la mayor parte de las naciones, en las latinas inclusive, la fuerza de las organizaciones políticas estriba en que no son las tendencias aparentes de evolución y de retroceso lo que en sus luchas se ventila sino grandes intereses colectivos. Así en Francia constituyen el partido conservador los grandes terratenientes; el oportunista, los banqueros, los industriales en grande escala, los sindicatos comerciales; el radical, los comerciantes e industriales en pequeño y la burguesía que vive del Estado, y el socialista los obreros manuales de todas categorías.

A esa tendencia responde la Asamblea de Zaragoza. La juzgaríamos desde un punto de vista equivocado si pretendiéramos analizarla más por sus actos que no por el íntimo proceso evolutivo que nos revela en el estado de la conciencia nacional.

Fuera grande, asimismo, nuestro engaño si creyéramos, como se ha repetido tantas veces, que significa la Asamblea la protesta de unas clases oprimidas, que luego de haber sufrido y pagado todo, se aperciben a salir de su silencio. Las clases oprimidas no se agitan y si se agitan es infructuosamente. El jornalero español que gane dos pesetas no es socialista. Lo es, en cambio, el obrero parisiense que gana diez francos, que come carne, que tiene querida, que va al teatro. Nuestras clases mercantiles no estaban oprimidas y mucho menos por los hombres políticos. ¿Puede pensarse en esa opresión cuando se compara el cuadro de quietud, de despoblación y de miseria que ofrece la agrícola meseta castellana con el de nuestras regiones de la periferia esencialmente mercantiles e industriales?

Pero si la palabra «opresión» no calificaría propiamente el estado de nuestras clases mercantiles, cuando menos se advierte cierto retraso al comparar el desarrollo de las industrias y capitales españoles con los del extranjero. Débese este retraso, en buena parte, al romanticismo revolucionario de nuestros padres, que ha creado una generación política –la que domina hace treinta años– que, incapaz para proseguir la obra iniciada por el gran Mendizábal, facilitando la industrialización del suelo, gobierna apoyándose en mesnadas de empleados, que se colocan entre la ley y las iniciativas particulares, y paralizan, por consecuencia, la vida nacional.

Contra este obstáculo se agitan nuestras clases mercantiles, no porque se hallen oprimidas, sino porque sus capitales y sus ambiciones requieren campo abierto, si han de desarrollarse libremente.

La Asamblea de Zaragoza representa el comienzo de una renovación económica. Apercíbese instintivamente el dinero a arrojar del Gobierno a la bohemia política, a menos que no lo sirva incondicionalmente. Y como esta obra comulga con el movimiento de las cosas, será realizada y a ella me adhiero; voy a decir por qué.

Sólo cuando las clases burguesas se hayan desembarazado del expedienteo, comenzará decididamente para España una tarea de labor eficiente. Sólo cuando el dinero logre que se hagan efectivos los embargos de fincas morosas y se saquen a subasta los terrenos yermos, empezará una tarea de industrialización agrícola, imposible para los pequeños capitales. Se hará esta industrialización no por patriotismo, ni por equidad, sino por espíritu de lucro, para asegurar mercados a las fábricas, como se hizo la colonización de las praderas del Far West por los industriales yanquis del Este a mediados

[176]

del siglo. Pero, ¿qué importa? Lo necesario es tener canales, tener árboles, convertir nuestro suelo en paraje habitable, ¡hágase como se haga! El negociante que para ganar dinero hace una casa, un barco, una acequia o una fábrica, deja a su patria una obra por lo menos tan positiva como el poeta que crea una imagen, el militar que gana una batalla o el filósofo que forma una escuela.

De la obra del negociante se aprovechan otras gentes. Así de la España del período burgués que ahora se está incubando, saldrá una formidable agitación obrera. Lo que no ha logrado –y no por culpa suya– Pablo Iglesias en veinte años de constante propaganda, lo realizará en muy pocos el nuevo espíritu que las clases conservadoras manifiestan. Nada se perderá con ello, como nada se ha perdido en los países en que el partido socialista lleva a las Cámaras un centenar de representantes. Tendremos una era de agitación socialista; tendremos una era de reformas y de reglamentaciones de trabajo. Y cuando nos hartemos de regímenes conventuales y de jaulas –siquiera sean con alambres de oro–, soplarán nuevamente los aires individualistas, los aires que vigorizan a los poderosos ejemplares de la especie.

La gran cuestión estriba en que por haber descansado largo tiempo, España necesita correr mucho, si hemos de impedir que extrañas gentes corran sobre nosotros.

Zaragoza, noviembre de 1898.

Entre las conclusiones de la Asamblea de Zaragoza hay una que merece particular estudio; es, en efecto, típica; revela por sí sola nuestro desbarajuste administrativo; ahondando en ella llegaríamos a comprender el yerro fundamental de la imperante organización política y, en consecuencia, la causa de las quejas exhaladas, aun por aquellas clases menos aquistables para las prédicas revolucionarias.

Solicita la Asamblea se separe la marina militar de la mercante, hoy sometida ésta a la jurisdicción de aquélla.

¿Será posible semejante maridaje?, preguntará, atónito, un extranjero incauto.

¿Qué tienen que ver en tiempos normales los marinos mercantes con los cuidados de la defensa nacional para estar sometidos al fuero de guerra? ¿A santo de qué son juzgadas militarmente personas que no se ocupan sino de llevar de uno a otro puerto pasajeros y carga?... ¿Lo son acaso los conductores y empleados de los ferrocarriles, que desempeñan una misión idéntica?

Viceversa: ¿no es una herejía distraer a los marinos de guerra de la que debe ser su preocupación única (la defensa del territorio) para emplearlos en menesteres tales como los de *empapelar* a los marinos mercantes, llenando folios y más folios en expedientes y procesos inacabables? ¿No es vejatorio para la marina militar, destinarla a ocupaciones burocráticas en las comandancias de los puertos de comercio, cuando no en recaudar contribuciones por derechos de baliza?

Estas cosas no suceden en nación alguna. En Francia,

Alemania y los Estados Unidos se administran los asuntos concernientes a la marina mercante y a los puertos de tráfico desde el ministerio de Comercio, al que naturalmente incumben. En Italia se gobierna autonómicamente la marina comercial. En Inglaterra corren a cargo estas funciones de lo que allí se llama el *Board of Trade*, perfectamente desligado de la marina militar. Y esta separación no ha sido ciertamente obstáculo al fomento de las dos marinas en la Gran Bretaña.

Sólo en España, ¡clásica nación del expediente!, se realiza ese absurdo, originándose tal serie de dualismos entre los ministerios de Marina y de Fomento, y tal serie de trabas para la navegación, para el aislamiento de la gente de mar y para los juicios sobre choques, naufragios y averías, que parece un milagro que aún ondee la bandera española sobre un barco de tráfico. Verdad que en 1886, cuando por primera vez solicitó la marina mercante española su separación de la de guerra, aquélla ocupaba el *cuarto lugar en el mundo*... HOY OCUPA EL NOVENO... De seguir de esta suerte, antes de muchos años será la última. ¡Siempre es un consuelo!

Es que suceden cosas que el hombre de mejor voluntad no se las explica. Para que un barco pueda componer en tierra la más insignificante pieza de una máquina, hay que pedir permiso al Administrador de la Aduana, al comandante del puerto y al verbo divino. De no hacerlo, se *empluma* al capitán.

Se ha dado el caso de multar a un capitán mercante, porque el carpintero de a bordo colocaba un remiendo de metal en la parte de la armadura rozada por la uña del ancla.

En buen número de puertos cubanos, en los de Matanzas, Cárdenas y Sagua la Grande entre otros, los barcos estaban obligados a satisfacer derechos de practicaje... ¡y eso que los prácticos no iban nunca a bordo!

Se me dirá que estos detalles son exagerados y estupendos. Pues bien, en los procesos sobre choques, naufragios, etc., ocurren cosas aun más estrambóticas. Contó un señor delegado en Zaragoza que el capitán de un barco, hallándose en Manila, fue llamado desde el Ferrol, para oír la sentencia dictada en un juicio que hubo de seguírsele a consecuencia de un choque. Viose compelido el capitán a abandonar el barco, que durante seis meses tuvo que estar parado, con los perjuicios consiguientes, por no encontrarse un piloto que pudiera sustituirle. El capitán fue embarcado en un vapor correo, llegó al Ferrol... *¡y la sentencia resultó absolutoria!*

El capitán del vapor *Irurac-Bat* echó a pique, sin poderlo evitar, a una goleta inglesa; recogió los náufragos y los dejó bien atendidos en La Coruña. Hizo varios viajes mientras seguía su curso la sumaria, y hallándose en La Habana recibió noticia de que se interesaba su presencia en el Ferrol para dar fin a la sumaria. Pues bien: a ese capitán, don Santos Ugarte, se le embarcó entre dos cabos de mar en un correo, se conminó al primer piloto con procesarle si no se encargaba del mando, y se obligó a aquél a hacer el viaje en un camarote de tercera, próximo a la barra. Al llegar a Santander se le dijo, abrazándole:

–¡Querido Ugarte!... Vaya usted a su casa y pase por el Ferrol cuando le convenga, que ésa es la orden.

Y ¡un contraste! Al abrir la correspondencia vio que la Sociedad de Salvamentos de Inglaterra le notificaba su entusiasmo por el heroísmo desplegado al salvar a los náufragos y su gratitud por el buen trato que habían recibido.

¿Que estos hechos aislados nada prueban?

Es que no no son hechos aislados. Háblese de estas cosas con los marinos mercantes. Cada uno de ellos guarda en sus recuerdos un volumen de historias de esa especie, que parecen arrancadas, por lo estrafalarias e incomprensibles, a la fantasía de Hoffman.

Así se explica la decadencia de nuestro tráfico marítimo. Se explican igualmente otras muchas cosas. ¿Cómo íbamos a tener marinos de guerra, cuando se condena a los que por tal concepto cobran sueldo a ejercer principalmente de curiales?

A las veces ocurren cosas semejantes en la jurisdicción civil. Pero al menos la prensa las comenta; en torno de ellas se forma una campaña; los lesionados se quejan en voz alta; el funcionario responsable del entuerto comprende la necesidad de proceder en lo futuro con más cuidado.

En la marina mercante estos hechos constituyen el pan de cada día. En cambio, ni las víctimas se atreven a quejarse, ni aunque se quejaran, lograrían horadar sus palabras esa coraza impenetrable que se llama «espíritu de cuerpo».

No puede suponerse que tales atropellos nazcan de una deliberada mala fe. Son sencillamente consecuencia de la aplicación del fuero militar en causas que para nada se relacionan con la defensa nacional y sobre gentes cuya profesión es absolutamente ajena a la milicia.

La Marina mercante no puede desarrollarse si están siempre suspendidas para ella las garantías constitucionales... y las del sentido común; si el mando de un buque –y el puesto es delicado– está a merced del expedienteo militar, a merced de los errores jurídicos, de gentes cuya misión es totalmente extraña a la administración de justicia.

Entraña este asunto dos aspectos, a cual más importante. Se trata en primer término, de amparar, con la ley, a una clase social hoy sometida a un régimen de caprichos e ignorancias. Se trata, además, de abolir un sistema de trabas, que ha dado al traste con el antiguo poderío de nuestra Marina mercantil.

Abogan por la separación de las dos Marinas el comercio y la industria españolas, por boca de la Asamblea de Zaragoza, los marinos mercantes sin excepciones y la casi totalidad de las empresas armadoras.

Pues bien, ¿en qué consiste que esa separación no sea un hecho?

¿Es que perjudicaría al Erario público? Nada menos cierto, por cuanto las Comandancias de los puertos de comercio estarían perfectamente servidas por los derechos de baliza, que hoy perciben los comandantes, además de sus sueldos.

¿Es que los puertos quedarían abandonados? Tampoco, puesto que el comercio tiene más interés que nadie en atenderlos y con esta separación quedarían robustecidas las facultades de las Juntas de Obras y de las Cámaras de Comercio.

¿Es que los tribunales civiles son incompetentes para

fallar en asuntos marítimos?... ¡Pero si en el extranjero son los árbitros y sólo en España ocurren a diario enormidades como las más arriba denunciadas!

¿Es que la separación perjudicaría los supremos intereses de la defensa nacional? Todo lo contrario, ya que en este objetivo se ocuparían exclusivamente las actividades de los marinos de guerra.

Y entonces, vuelvo a preguntarme, ¿por qué no es ya un hecho la mencionada separación?, ¿qué insuperable obstáculo se opone a la realización de una demanda tan lógica, solicitada además, por clases tan poderosas como las congregadas en la Asamblea de Zaragoza?

Al responder a esta pregunta tropezamos con el gran yerro de nuestra organización política. No se separan las Marinas porque si no se emplearan a los jefes y oficiales de la militar en las Comandancias de los puertos y, en los juicios marítimos, no habría pretexto que justificara la nómina de un personal excesivo a todas luces.

Pero, ¡por Cristo vivo! Si no hay cruceros para todos los marinos que se empleen en la Dirección de Hidrografía. ¡No suceda en los mares peninsulares lo acontecido en Cuba y Puerto Rico, donde la Marina mercante –y creemos que también la de guerra– tenía que servirse, para navegar con seguridad, de mapas hechos por los yanquis!

Si la Dirección de Hidrografía no puede ocupar a esos militares de hombres, ¡entretengan sus ocios confeccionando la cronología de nuestras glorias navales, desde los tiempos de *La Invencible* hasta nuestros días! ¡Paseen cuanto quieran el airoso uniforme!... ¡Pero no se resignen al papel desairado que actualmente se les impone!... Cuídense tan sólo de la defensa nacional, sacrificando a tan noble objetivo los derechos de baliza.

En esta necesidad gubernamental de justificar una nómina espléndida, estriba el gran yerro de nuestra política romántica.

Desde hace cincuenta años la libertad o el orden han sido los únicos trampolines para escalar puestos políticos. Y como esas palabras tan preñadas de ideas para el artista y para el pensador, son completamente hueras para el gobernante, a nada le comprometen, a nada le obligan y nada eficiente puede desprenderse de su aplicación desde el poder, nada que cree para el gobernante solidaridad respecto de una clase social, respecto de un interés colectivo que le apoye y sostenga, de ahí que nuestros regímenes políticos hayan tenido que apoyarse exclusivamente en el presupuesto de gastos, creando una nube de recomendados, que en su natural acrecentamiento, ha llegado a convertirse en el mayor peligro de la existencia nacional.

Porque esto que sucede en la Marina, sucede en el ejército, en la administración de justicia, en la cobranza de impuestos, en la universidad, en el clero y en los Ministerios.

Por donde quiera se nos aparece el parasitismo presupuestívoro, ahogando cuantas iniciativas de desarrollo brotan en el país, pesando sobre el lomo de las clases laboriosas.

¿Hasta cuándo va a durar situación semejante?

La respuesta no ofrece dudas. Hasta que las clases más interesadas en poner término a este desconcierto, no se decidan irrevocable y tenazmente a hacerlo.

Se me dirá que esas clases carecen de medios para realizar sus aspiraciones.

Eso no es del todo cierto. Recuérdese lo acontecido en el asunto del tratado de comercio con Alemania. Perjudica el tratado a las industrias vasco-catalanas. Uniéronse los industriales para combatirlo. Hízosele en el Senado una campaña obstruccionista, celebróse el imponente «meeting» de Bilbao, la prensa caldeó el asunto, y a pesar de los solemnes compromisos contraídos por el Gabinete Sagasta-Moret, cayó aquel Gobierno sin que el tratado se cumpliera y sin que nadie se atreva a intentar una cosa semejante.

Lo que sucede es que nuestras clases conservadoras no se acuerdan de Santa Bárbara hasta que truena y no se mueven sino cuando se trata de un asunto que directa e inmediatamente les atañe, como si la administración del Estado no les afectara, si no de modo tan inmediato, al menos tan hondamente como las cuestiones de tributos y aranceles.

[184]

Sobre la apatía de esas clases pesan tremendas responsabilidades, que ellas son las primeras en pagar. Este asunto de las Marinas, por ejemplo, no obstante, la lógica que asiste a las demandas del comercio y de la industria era hasta ayer completamente desconocido a la nación. ¿Por qué? Porque nadie se había cuidado de levantar la liebre –valga la palabra– a pesar de los inmensos perjuicios que su estado actual irroga. Los únicos que pugnaban por la causa de la separación eran los marinos mercantes, ¡y éstos se encuentran amarrados de pies y manos a las Comandancias de los puertos! Las clases sociales que, con mayor independencia, hubieran podido provocar una doble agitación en favor de tan noble causa, no se preocupaban de tal cosa, y eso que para ellas –y para la nación en general– era un gran negocio la separación de las Marinas, que no ha de realizarse sino tras una campaña tenaz y ruda, dirigida, naturalmente, por las entidades más interesadas en este asunto.

He dicho un gran negocio. A nadie escandalice la palabra. Un gran negocio, más que otra cosa, es para las clases conservadoras, la organización del Estado en todos sus órdenes, suprimiendo, en consecuencia, los engranajes inútiles o perjudiciales.

Un gran negocio, no una empresa romántica, es para todos la patria reconstitución.

...¡Qué no se diga que somos malos negociantes!

EL SEPARATISMO PENINSULAR
Y
LA HEGEMONÍA VASCO-CATALANA

*Para D. Gabriel Alom*ar

Nos llevaríamos gran petardo, si fuéramos, como pretenden los *bizkaitarras* y los catalanistas exaltados, a buscar en la etnografía o en la historia la causa fundamental del separatismo peninsular.

Se nos habla del espíritu catalán y del espíritu vascongado en contraposición al espíritu de Castilla. Semejante contraposición no existe, a menos que no emplacemos frente al espíritu agrícola, el industrial y el industrialismo, en cuanto no afecte a las tarifas arancelarias, es por esencia cosmopolita.

Se nos invoca la actitud de Cataluña en la guerra de sucesión y los pactos concertados en la Edad Media entre la Corona de Castilla y las provincias vascongadas. Yo pudiera disertar acerca de las glorias que unen a España con Cataluña y con Vasconia; sin gran esfuerzo redondearía algunos párrafos exhumando las cenizas de Prim, de Legazpi y de Oquendo y recordando las empresas en que los escudos eúskaros y la bandera catalana han combatido junto al pendón morado de Castilla.

Pero, ¿qué vale la historia?, ¿influyen las malandanzas de nuestros antepasados en la elección de Sabino Arana, ni en hecho alguno de nuestra vida contemporánea?, ¿no se ha formado Italia luchando contra el Imperio austro-húngaro, y hoy es su aliada?, ¿no sucede lo propio respecto de los Estados Unidos e Inglaterra?, ¿no

[187]

se advierte un movimiento de aproximación entre Francia y Alemania, a pesar de que rige los destinos de aquel pueblo una generación formada en el desastre de Sedán?

Nadie puede pensar en serio que el auge del regionalismo ultrarradical provenga de históricas diferencias ni de odios seculares. No ha nacido el separatismo en Urgel ni en Azpeitia, sino en Barcelona, ciudad de población heterogénea, y en Bilbao, villa en la que hace más de un siglo se ha olvidado el vascuence.

No desempolvaremos, en consecuencia, nigún legajo para contender con los separatistas. De otra parte, el efecto de los himnos históricos en loor de la patria unidad es intenso a menudo, pero efímero. Poco antes del alzamiento de Baire, he visto muchas veces electrizarse al pueblo de La Habana, contemplando el desfile de los batallones de voluntarios. Ante la gallardía de los cuerpos, ante el arranque del pasodoble militar, la sangre de la raza golpeaba con igual ímpetu en pechos españoles que en corazones criollos. Un mismo espasmo contraía todos los rostros... ¡*Aquello* era verdad! Se alejaban las notas musicales... ¡y los habaneros seguían laborando!

Dejemos al Cid en su sepulcro, bajo la custodia de tan celoso carcelero como debe serlo el señor Costa... ¡Los oropeles de la historia sólo seducen a los niños!

No niego que explique el estudio de la historia de nuestras luchas interiores la aparición de algunos separatistas intelectuales. Separatistas de este género los hay en Inglaterra, en Alemania, en Italia y hasta en Francia. Con todo, mientras las ideas de estos eruditos no encarnan en intereses generales, las vuelve ineficaces su platonismo. Si alguien osara propagarlas se le calificaría de monomaníaco: no de otra cosa se tachaba a los *bizkaitarras* en sus primeros tiempos.

Por desgracia ya no podemos decir –y en esto voy al lado de la prensa madrileña– que los separatistas sean cuatro locos. La elección de Arana por Bilbao –aun descontando lo que pudiera haber en ella de protesta contra el caciquismo– y el funcionamiento en París de un Comité separatista catalán son hechos harto significativos, para que no supongamos en el fenómeno cuyo estudio emprendemos, causas más positivas y eficientes que la sangre derramada en el sitio de Barcelona hace ciento ochenta años o las guerras entre los vascones y la monarquía visigoda.

Si queremos, por tanto, darnos cuenta del alcance y trascendencia del separatismo hemos de preguntarnos a qué intereses responde su extensión y qué aspiraciones pueden verse satisfechas con el desmoronamiento nacional.

Desde luego, puede afirmarse a ciencia cierta que las clases conservadoras de Cataluña y de Vasconia no son separatistas.

Poseen esas regiones en valores de la Deuda pública un ahorro que no baja de dos a tres mil millones de pesetas. Ya tenemos a los varones graves del principado catalán y de las provincias vascongadas en contra del separatismo, porque no puede ocultarse a los indianos, ni a los industriales, comerciantes y mineros retirados que el pago del cupón es consustancial con la unidad española, que no serán los montes de Toledo ni los pinares de Segovia quienes soporten el presupuesto de la Deuda.

Tal vez los grandes ahorros de Cataluña y de Vasconia cuesten a la patria el triste desenlace de la cuestión de Cuba, donde más bien se debatía el mercado antillano, para nuestras comarcas industriales, que no otra cosa. Podrá objetárseme que las naciones no poseen colonias por el gusto de pasear en ellas la bandera, sino para más prácticos fines. Esta observación, lejos de rectificarlo, fortalece mi pensamiento. El deseo legítimo de aprovechar las colonias en favor de nuestras industrias, ha sido, durante largos años, el principal motivo de disgusto entre peninsulares y cubanos, ese legítimo deseo fue el causante del famoso movimiento económico de Cuba, preliminar importantísimo de la insurrección, ese deseo natural, incompatible con las aspiraciones de la industria norteamericana, ha dado origen a la última desastrosa campaña.

¿Han desaparecido, con las últimas colonias, los lazos económicos que unen a Cataluña y Vasconia con las

[189]

otras regiones? Nada de eso. En nombre del trabajo nacional, con el lema de: *España para los españoles*, invocando el interés supremo de la patria, se ha transformado el régimen de los tratados expansivos de comercio, vigente hace veinte años, en un sistema de franco proteccionismo.

¿Quiénes han demandado con mayor insistencia esa transformación?... ¿Qué regiones se aprovechan de ella?... ¿Cuáles resultan más favorecidas por la unidad del Estado?

Si mañana se levantaran Aduanas en el Ebro, ¿qué sería de la gran industria textil, de las industrias todas de Cataluña? ¿Qué de las industrias armeras, siderúrgicas, cerámicas, papeleras y hasta ferroviarias de las provincias vascongadas? En cambio, ¿dejarían de venderse en esas comarcas, una vez emancipadas, los productos agrícolas de España, cuando las frutas, los aceites y los vinos españoles se expenden en el extranjero, a pesar de las tarifas arancelarias y de transporte?... Respondan a estas preguntas las campañas proteccionistas de catalanes y vascongados.

Además, el exceso de capitales que se advierte en las regiones mencionadas –exceso evidenciado por el balance de sus Bancos– ha de invertirse bien en nuestras industrias creadas sobre la base de la protección arancelaria, bien en empresas que se desarrollen fuera de esas comarcas. Que así sucede lo demuestran las industrais extractivas que el capital vascongado explota en Santander, en Asturias, en Almería, en León, en Córdoba y en Cartagena, y el fomento dado recientemente al cultivo de remolacha en toda España, por capitales procedentes de Cataluña y de las Vascongadas.

Pensará alguien que esta inversión de capitales lo mismo puede realizarse siendo extranjeras Cataluña y Vasconia. Nada menos exacto que semejante presunción. Para realizar cualquier empresa lo primero que es necesario remover en España es el obstáculo del expedienteo. ¿Lograrían tal resultado las clases capitalistas interesadas concentrando en sí mismas sus cuidados políticos? A buen seguro que no. Para catalanes y vascongados es de interés primordial intervenir activamen-

[190]

te en la política nacional: si sus capitales han de producir respetables intereses tienen que enfocar con ellos, hacia fuera las energías de su espíritu.

He demostrado que las clases capitalistas de las provincias eúskaras y catalanas están interesadas, no ya sólo en conservar la integridad del Estado español, sino en intervenir en la política de la nación hasta con mayor actividad que las de otras regiones, ya que éstas sólo litigan con los poderes públicos en cuanto a sí propias se refiere, mientras que los capitales de Cataluña y de Vizcaya, invertidos en la nación entera, han de cuidarse de la marcha administrativa del Estado, en sus relaciones con las propias y las ajenas comarcas.

Veamos ahora, a reserva de insistir en este punto más adelante, si el ideal separatista responde a una aspiración del proletariado.

Sucede, a las veces, que la lucha por el salario hace olvidarse a los obreros del carácter internacional de sus demandas contra el capital, para sugerirles un patriotismo estrecho, mejor dicho, un sentimiento de hostilidad contra el brazo que inmigra para disputarle el jornal.

Llamo estrecho a ese patriotismo, porque la concurrencia económica es un hecho superior a las fronteras y que, por punto general, no puede remediarlo un cambio de pabellón.

Frente a los obreros italianos se han sentido patriotas los franceses, porque aquéllos, más sobrios, menos civilizados o peores operarios, se ofrecían por jornales más baratos. Este hecho dio origen en el sudeste de Francia a una explosión de italofobia. A la postre, los obreros franceses se han convencido de que esta cuestión no se resolvía con mueras a los italianos, y poco a poco les van convenciendo de las ventajas de alistarse en las sociedades cooperativas y de resistencia, para luchar todos juntos por el mejoramiento de las condiciones de trabajo.

Ahora bien, ¿han podido aprovechar los separatistas, en favor de sus ideas, la concurrencia por el trabajo? Por lo que respecta a Cataluña casi no existe. Los obreros valencianos son unos cuantos miles y han acabado por confundirse con la población nativa. Los de otras regiones son muy escasos. El centro de España encuéntrase harto despoblado para que la emigración que de allí salga perjudique al obrero catalán en sus salarios.

Respecto de las Vascongadas la concurrencia de los gallegos daña muy poco a los obreros vascos. Aquellos inmigrantes, hijos de una comarca agrícola, desconocen el mecanismo de las industrias y sólo desempeñan menesteres que no requieren aprendizajes. Los nativos, en cambio, formados en los talleres desde niños, son capataces, herreros, ajustadores, caldereros, etc., y ocupan una posición privilegiada respecto de los inmigrados.

Sólo cuando en el resto de España se creen en gran número industrias similares, tendrá algo que temer el obrero catalán o vascongado de la concurrencia de los demás obreros españoles. Y entonces no serán los castellanos los que pasen el Ebro, sino los catalanes y los vascongados; los obreros ya hechos.

Sentados estos precedentes, ¿qué le va ni le viene al obrero español con que sea ésta o la otra bandera que ondee en los edificios públicos? ¿Qué pueden interesarle las prédicas separatistas?

Hablémosle de la creación de tahonas, farmacias y almacenes municipales, de la supresión del impuesto de consumos, de la formación de sociedades cooperativas y de resistencia, y es probable que nos escuche y hasta que nos siga, a poca confianza que en ellos despertemos. Un movimiento de esta clase no alcanzaría grandes resultados, mientras que la industrialización de la meseta castellana no valore nuevamente los salarios. Acaso su bajo tipo dependa de que, por ser jóvenes nuestras industrias, no se han formado en ellas esos obreros especialistas que, siendo en cierto modo irreemplazables, han logrado en el extranjero reducir el interés del capital al cuatro o cinco por ciento. De todos modos una agitación obrera bien organizada lograría en España disminuir, en provecho de los trabajadores, los beneficios de los intermediarios y mejorar en sentido higiénico las habitaciones y los alimentos, interviniendo las clases trabajadoras en la vida de los municipios. Así lo han comprendido los obreros vizcaínos, alistándose juntos, vascongados e inmigrantes, en las agrupaciones

[192]

de sus oficios respectivos. Así han de comprenderlo los catalanes, una vez demostrada la triste ineficacia de las agitaciones anarquistas.

Pero si hablamos a los obreros de nuevas patrias y de banderas nuevas, catalanes y vizcaínos se encogerán de hombros, despreciativamente. ¿Qué ganan con la desmembración del territorio, si sobre ellos pesaría, en primer término, la consiguiente paralización de las industrias –que hoy viven al amparo arancelario?

No salen los separatistas de entre las clases ricas ni de entre los obreros, porque el separatismo nace y recluta sus prosélitos entre las clases que llamaremos intelectuales, comprendiendo en esta denominación a cuantos hombres viven o pretenden vivir de la pluma, así se emplee en emborronar cuartillas como en llenar infolios en la Audiencia, como en redactar asientos sobre un librote de comercio.

Y se comprende. Si la disgregación de Cataluña y de Vizcaya sería fatal para las gentes ricas de estas regiones y en poco o nada puede ser útil a los obreros, en cambio favorece aparentemente a ciertas otras clases, que se juzgan perjudicadas por el reparto de destinos, tal como hoy se practica desde la Corte.

A primera vista, esta cuestión del reparto de destinos es muy pequeña. No hay ningún separatista que nos diga: «Quiero la independencia de Cataluña para ser presidente de la república catalana.»

En realidad esta cuestión es la fundamental. Cuantos argumentos se aducen en defensa del separatismo, quedan desvanecidos ante la poca conveniencia de la idea para las clases productoras o capitalistas.

En este asunto, como en muchos otros, es la filosofía un disfraz, que el filósofo adopta para no dejarse ver.

Hay dos hechos recientes y característicos que revelan la trascendencia de las cuestiones de personal. Uno de ellos se refiere a la Junta de Obras del Puerto de Bilbao. Trató el señor Gamazo de nombrar unos delegados inspectores para fiscalizar las cuentas de la Junta. Como es costumbre, estos señores se cuidarían muy poco de inspeccionar las tales cuentas; en cambio no firmarían un documento como esa firma no se tradujera en un ingreso. Bilbao en masa ha puesto el grito en el cielo contra la intrusión de tan extrañas gentes –y con razón sobrada. Han salido a relucir los consabidos tópicos contra el poder central. Han formulado heroicas protestas el Ayuntamiento, la Diputación, las personalidades de más viso. Tratábase, en realidad, de una *polacada* del señor Gamazo. Y, sin embargo, ¿saben mis lectores lo que se debatía muy principalmente en este asunto?... Pues un destino de seis mil pesetas, otorgado a un amigo de la Junta, muy apto, por otra parte, para el desempeño de su cargo.

Hablemos del segundo caso. Refiérese al pleito sostenido entre el pueblo de Bilbao y el Ministerio de Fomento, a propósito de la creación de una escuela de Ingenieros industriales. Hago gracia a mis lectores de los numerosos incidentes de este asunto. Baste decir que Bilbao, aunque estaba en lo firme al solicitar para esa escuela, sostenida con su propio peculio, cierta autonomía respecto del plan de enseñanza, más que otra cosa defendía el derecho de nombrar profesores.

No sé lo que sucede en Cataluña. Aseguro desde luego, que la lógica estará de parte de los catalanes, en cuantos pleitos han sostenido con el Estado, respecto de asuntos tales como la construcción del puerto de Barcelona. Y, sin embargo, ¡cuántas veces en estos litigios se habrán ventilado cuestiones de personal! ¡Cuántos artículos tremebundos contra Castilla se habrán escrito, con los ojos del escritor fijos en un destino, desempeñado por un advenedizo!

¿Qué las ideas están por encima de semejantes nimiedades? ¿Qué hay hombres de buena fe que las defienden sin propósito alguno de medro pesonal? ¡Y qué! Si esas ideas se propagan es porque existe un núcleo de gentes que, en el actual sistema, no encuentran satisfechas sus ambiciones. En los médicos sin enfermos, abogados sin clientes, sacerdotes sin feligreses, escritores sin público, etcétera, encontraremos el verdadero nervio del separatismo, como de toda idea revolucionaria, en todos los países y bajo todas las latitudes. Esta gente se aprovecha de aquellos hombres, presentándolos como apóstoles y mártires, e influye sobre las otras clases de la sociedad, agrandando las torpezas y los yerros que cometen a diario las clases gobernantes, y señalando como vicios inherentes a la nacionalidad los que sólo nacen de su propia cobardía moral, cuando no de su incapacidad intelectual.

He dicho cobardía e incapacidad. No es de mi gusto insertar tales palabras en un estudio concebido en serio. Las mantengo sin embargo. No de otra suerte sé calificar a unos hombres que, apoyándose en la real hegemonía económica de Cataluña y de Vasconia, no aciertan a realizar la hegemonía secundaria, la que de aquélla se deriva sin esfuerzo; la predominancia política e intelectual.

Es ésta una materia que requiere párrafo aparte.

Cuando nuestros padres discutían la libertad de imprenta, el sufragio universal, la forma de Gobierno, el jurado y otros problemas románticos, cuya solución ha costado tanta sangre e invertido tantas energías, se hallaban los hijos del Norte en manifestar condiciones de inferioridad, para disputar a los hombres del Sur y del Centro la hegemonía política.

La herramienta para esta lucha era el discurso de relumbrón y el párrafo redondeado. Natural era que las regiones, que por su clima y por su suelo son dadas a la fantasía y a la oratoria, produjeran mayor número de hombres políticos, y monopolizaran la dirección de los asuntos públicos.

Así vemos que la generación de 1868, en su elemento director, estaba compuesta casi exclusivamente de andaluces y de levantinos, mientras el elemento por decirlo así administrativo salía de Castilla, de esa plaga leguleya, intermediaria entre el terrateniente y el arrendatario, hija de la ociosidad de aquél y de la ignorancia de éste, plaga que está acabando con unos y con otros y hasta con la productividad del patrio suelo.

Las consecuencias de esa postergación no se han hecho esperar. Los retóricos y los leguleyos, al llegar a la gobernación de un Estado, tienen que convertirse en intrigantes, porque carecen de aquel espíritu de actividad eficiente y sostenida, que se traduce en la normalización de un trabajo de escritorio o en el planteamiento de reformas animadas de un carácter práctico, en un im-

[195]

pulso a las obras públicas, en una simplificación de procedimientos judiciales, o en la confección de un presupuesto serio.

Ya no diré que los hombres políticos que salgan de las regiones industriales estén animados de un espíritu moralizador, de que carecen los de otras comarcas. La moralidad administrativa más depende de la vigilancia del propietario que de la condición del administrador, y si es el propietario descuidado sus dependientes serán inmorales, así los traiga del mismo polo Norte.

Es que entiendo que este asunto de la inmoralidad administrativa no es en sí tan esencial como las gentes se figuran. Más esencial que la inmoralidad es la manera de practicarse.

En efecto, las hazañas de nuestros hombres públicos más osados en el arte del chanchullo, no pueden compararse con las que a diario se cometen en países como los Estados Unidos. Y las ilegalidades efectuadas en aquellos establos de Augias –así se califica a la administración yanqui– no han impedido ciertamente el prodigioso desenvolvimiento de la república norteamericana.

La mayor parte de las inmoralidades se cometen cuando se disputan el apoyo de la administración, un interés creado y un interés que trata de crearse. Por ejemplo, se trata de aprovechar un salto de agua para una industria, de explotar una mina o de tender un ferrocarril. Se encuentran frente a frente los propietarios del salto o de los terrenos y el industrial, el minero o el accionista de la línea en proyecto. Para aquéllos el problema estriba en hacer valer los intereses creados; para éstos, por el contrario, en menospreciarlos. Hay una ley para regular la ambiciones de unos y otros, pero hay unos políticos –y esto no lo remedia ningún programa de partido– para atropellar la ley, en beneficio de los propietarios o de los industriales.

Si la ilegalidad se comete en favor de los primeros nace la industria en malas condiciones y es lo probable que no se desarrolle. Si en general la administración se inclina del lado de los intereses viejos, el resultado será una paralización en la vida económica de la nación.

Esto es lo que ha acontecido en nuestra patria.

Si, por el contrario, el atropello se consuma en beneficio de los segundos, precipítase, en proporción geométrica, el desenvolvimiento general.

Esto es lo que ocurre en Norteamérica.

No acaecería este fenómeno si las regiones industriales españolas disfrutaran, como las norteamericanas, de hegemonía política, puesto que los gobernantes se unirían a sus amigos, para facilitar legal o ilegalmente el empleo de los capitales muertos. El desarrollo de las industrias asturianas, verificado en estos años, se debe en buena parte a esa influencia política... y a los chanchullos consiguientes.

Es seguro que si en la vida nacional siguieran interesando los platonismos constituyentes, las comarcas del Norte seguirían influyendo muy poco en los destinos políticos de España.

Pero los tiempos han cambiado. Disuélvense con rapidez los antiguos partidos doctrinarios. El conflicto perenne entre la libertad y el orden no apasiona a nadie, tal vez porque se halle resuelto, según algunos piensan, quizás por ser meramente fantástico, según afirman otros paladinamente. España al fin comprende que necesita canales, fábricas, carreteras, vías férreas, barcos de tráfico, no constituciones.

Impónense los hombres más laboriosos, más dotados de administrativas aptitudes, que mejor conozcan el funcionamiento del comercio, de la agricultura y de la industria, que con más detenimiento hayan estudiado las leyes económicas que regulan el sube y baja de las fortunas.

Y, ¿no se encuentran los catalanes y vascongados, que han nacido junto a la máquina, junto a la mina, entre centenares de vías férreas, junto a la fábrica, junto al barco mercante, entre empresas por acciones, al lado de caseríos cuyos propietarios saben asociarse para emplear en el cultivo de la tierra modernas herramientas, no se encuentran en manifiestas condiciones de aptitud y de capacidad, para impulsar a la nación por más felices derroteros?

¿Puede creerse que continúe la postergación política de esas regiones?

Respondan cuantos hayan presenciado las sesiones de la Asamblea de Zaragoza. Dos hombres se han disputado la dirección, valga la palabra, de las Cámaras. Era uno de ellos el señor Castro, representante de Valencia: era el otro el señor Alzola, representante de Bilbao. Es el primero un orador completo, a la usanza parlamentaria. Nadie le aventajaba en la Asamblea en el arte de la declamación. Tenían sus discursos «todas las de la ley»; el período florido con que se desarma al adversario, la insinuación con que se le mortifica, el apóstrofe que conmueve a las masas, la frase rimbombante que provoca la ovación, la voz hermosa que cautiva el oído. Pues bien, apenas se levantaba cuando un sentimiento de instintiva desconfianza reflejábase en los rostros de todos los delegados. Ante sus finuras encogíanse de hombros, ante sus insinuaciones se sonreían, ante sus frases y sus apóstrofes efectistas se indignaban hostilmente. Aunque el señor Castro tratara de probar la claridad del día, bastaba que defendiese verdad tan absoluta con un discurso grandilocuente, para que votase la Asamblea lo contrario.

En cambio el señor Alzola no posee ciertamente, entre sus muchas dotes, la de ser un artista de la palabra. El tono de su voz es agudo y frío, carece de arranques, habla a la razón y no es muy atractiva su oratoria. Sin embargo, desde el primer día fue el señor Alzola el hombre de la Asamblea, quien compartió con el señor Espinol, representante de Barcelona, los mejores aplausos. Con él votaron los delegados en todas ocasiones, su palabra puso término a la mayoría de las discusiones, su pluma redactó casi todas las demandas de la Asamblea.

Se nos dirá que ese triunfo lo debe el señor Alzola a sus personales méritos. Éstos los debe a su vez en buena parte a su condición de vascongado de estos días, a ser ingeniero e industrial, a que como tal industrial ha estudiado a conciencia las cuestiones económicas, y a aquellas otras cualidades de tenacidad y reflexión que son propias de la región vasca y comunes a la mayoría de los vascongados.

Esta historia no es un hecho anacrónico y excepcional, sino que revela un gran cambio operado lentamente en el alma española, cambio que coloca a los hijos del Norte en excepcionales condiciones para imponer sus hombres y su espíritu a la patria entera.

Esta nueva orientación política, resultado de la incipiente invasión industrial, tiene su equivalencia en la vida del pensamiento.

Del mismo modo que no existe un partido político que arrastre en pos de sí a la multitud, no hay un literato de renombre que acierte a hablar al alma de los españoles contemporáneos. Legajos medievales han ahogado a Menéndez Pelayo; las imágenes históricas han desorientado a Castelar; Sellés apenas escribe, Gaspar tampoco, ni Palacio Valdés, Pereda se encasilla en el verdor de las montañas, sin advertir que sus tipos van desapareciendo a media que la piqueta del minero allana la comarca; la señora Pardo Bazán, requerida al mismo tiempo por sus lecturas naturalistas y por sus creencias ortodoxas, no sabe con quién ir; Ganivet ha muerto, cuando más lo necesitábamos; Benavente murmura deliciosos *requiescat* ante las «figulinas» que Madrid exhibe en su bohemia política y en su aristocracia agonizante, pero no vislumbra la nueva España que se está inculcando; Dicenta, colocado, por un capricho de su genial instinto, en el punto donde acaba el concepto calderoniano del amor y de la honra y comienzan las positivas luchas de estos días, no atina con el modo de desprenderse de la corcova romántica.

Una pléyade de afamados escritores, comprendiendo la necesidad de renovación que siente España, ha traducido estas ansias en la creación de un semanario, *Vida Nueva*, que en poco tiempo ha alcanzado una buena tirada. Ese intento más bien merece elogios por su buen propósito, que por sus buenos logros... ¡Aún pesan mucho las ideas viejas sobre los intelectuales formados en Madrid!

Sólo un escritor, Pérez Galdós, ha desentrañado del burbujeo de los gérmenes la España capitalista que se nos echa encima. En su libro *Mendizábal* abundan los brochazos en que los ojos del novelista más se han fijado en la patria de hoy, que en la de nuestros abuelos. Para mal de todos llega Galdós a la epopeya nueva –la industrialización del suelo– después de haber invertido largos años en el cultivo de la historia, en los amores de la libertad, en el ansia de verdad naturalista y en el neomisticismo... y llega sin calor –no tan sólo sin calor de corazón, que es lo de menos– sin calor de pensamiento –que es lo trascendental.

Toda esa literatura parece un canto funeral... ¿Y cómo van a cantar esos literatos la nueva España, si ésta es la máquina, la dinamo, la empresa por acciones, el combate económico, sañudo e implacable, y las ideas que de este mundo tienen son reflejas, librescas, no personales ni directas?

Si de alguna parte puede venir la renovación literaria será de allende el Ebro. En cabezas como la de Unamuno caben los embriones de un centenar de literaturas y filosofías nuevas. La lucha entre el temperamento místico y el hábito del análisis lógico; la pugna entre el hombre y el intelectual; la resistencia de aquél a ser por éste devorado y su derrota inevitable, puesta de manifiesto por el trabajo sostenido, de la célula nerviosa y el amortiguamiento de los restantes órganos; la concepción amplísima del dinamismo económico y el culto de la muerte y de la estepa sin verdura... todo se encuentra en ese bilbaíno colosal, aunque atropellado, confundido, sin valor eficiente.

Quizás muera Unamuno –y eso que es joven–, sin alcanzar en vida el puesto que merece. Yo espero que su temperamento místico y sus tristezas de hombre lleguen a sepultarse bajo el intelectual. Si así sucede, si sabe aprovecharse de sus dolores convirtiéndolos en el placer de crear, haciendo del sufrimiento y de la muerte afirmación airosa de la vida, brotarán de su pluma los Evangelios de la patria nueva. Si vence el místico y el triste y no quedan de Unamuno más que los trabajos anfibológicos, contradictorios y oscuros que hoy se conocen, así y todo dejará un arsenal de ideas, de las que ha de apropiarse una generación de literatos, que puedan vivirlas por ser hijos del mismo cielo que el sabio profesor.

Otro tanto debo decir de ese lucido alarde literario, que muestra orgullosa la Cataluña de hoy. Hay en el Ateneo barcelonés, en la joven revista *Catalonya*, en el catalanismo clásico de Barcelona y de Mallorca, toda una pléyade de talentos de primera fila –y no he de citar nombres porque sadrían de mi pluma a centenares– que han tomado la literatura en serio. Acaso pueda reprochárseles el «diletantismo» con que siguen las oscilaciones de las Bolsas literarias extranjeras. De todos modos, en Cataluña la gente moza piensa como la época en que vive –cosa que en Madrid no ocurre–, en parte porque se educa en las lecturas nuevas, pero, principalmente, porque vive la vida de nuestro tiempo.

Y siendo esto así, ¿van a seguir oscureciéndose los literatos vasco-catalanes, sumidos en un rincón? Si se hallan dotados, por su nacimiento, de cuantas condiciones facilitan el triunfo, ¿por qué no han de afrontar la lucha en campo abierto?

Existe una empresa por realizar que debe sonreírles y tentarles. Por viejos, por rutinarios, por clásicos, han perdido los literatos españoles el mercado de América. Aún se conserva para España el público de abajo, el que asiste a los teatros. El público de libros se surte en París. La reconquista de este público pueden realizarla, mejor que nadie, los catalanes y los vascongados, por el moderno ambiente en que respiran... ¡A la obra!... Mas no será desempolvando mamotretos de los heroicos tiempos de Roger de Flor o de don Diego López de Haro, como pueda realizarse, sino apropiándose, para ropaje de sus ideas, la majestuosa sonoridad de los escritores castellanos y el fascinador colorido de los prosistas andaluces.

Y no los literatos solamente, sino todos cuantos sientan en su espíritu fuerzas expansivas, están interesados en mostrarlas, no encerrándose en su concha, como los moluscos, sino apercibiéndose a la conquista de Madrid.

La aparición del separatismo ha originado una mala inteligencia singular. La masa general de Cataluña y las Vascongadas, encogiéndose de hombros, exclama: ¡Es una locura! Madrid, alarmado, pide cañones y fusiles para matar en germen la funesta semilla. Interpretan estos temores catalanes y vascos, suponiendo que en la

Corte todo les es hostil. Y de otra parte no sospechan en que su indiferencia se traduce en Madrid por simpatía.

Para desvanecer esta mala inteligencia hay que apelar sinceramente a la buena fe de ambas partes, hay que encararse con los madrileños y decirles:

«Quizás inspire el patriotismo vuestros recelos y vuestras demandas de represión, pero también el deseo de prolongar un régimen político que de por sí se desmorona.»

Hay que hacer otro tanto con catalanes y vascos:

«Es suicida vuestra indiferencia para con el separatismo. Los que reparten en París folletos, en defensa de la *emancipación* de Cataluña, los que enarbolan en Vizcaya pintorescas banderas *bizkaitarras*... ésos son vuestros peores enemigos. Estáis capitalmente interesados en hacer el vacío en torno de ellos.»

Y hay que proclamar frente a los separatistas:

«Nacen vuestras ideas de vuestra pequeñez.» No os digáis con el poeta francés: «Mi vaso es pequeño, pero bebo en mi vaso.» El vaso grande hállase a nuestro alcance. Somos unos menguados, catalanes y vascos, si no logramos apoderarnos de él –para agrandarlo más.

CONTRA LA NOCIÓN DE LA JUSTICIA

I. Cómo trabajan los pensadores nuevos

Para D. José Nakens

Admiro el calor de corazón con que defiende usted a los hombres y a las ideas de su juventud. Lo admiro porque pienso que así como en virtud de una ley química no se pierde ni se gana un átomo de materia ni de fuerza en el transcurso de los siglos, así la grandeza intrínseca de la vida humana ha de ser la misma en todos los períodos, y lo único que la gradúa para la proyección histórica es el mérito y el entusiasmo del poeta que la canta en un momento dado.

Cante usted pues, su tiempo. Me place la adoración que le merece una época en la que los españoles se mataban por la república o por don Carlos, por un adjetivo, por un ensueño, por su peculiar manera de concebir ese fantasma que se llama justicia.

Cante usted a los hombres de su tiempo y abomine en buena hora de esa juventud intelectual, que califica usted de enclenque, de fría, de sensata, porque su pluma no toca a rebato, ni llama a la barricada, ni predica la revolución, ni proclama la necesidad de cortar cabezas, ni ha llorado la pérdida de las colonias, ni ha sentido el anhelo de renovar las glorias numantinas.

Mas permítame, a mi vez, que defienda a los jóvenes de hoy y que arranque del quietismo aparente de España, síntomas de una renovación tan honda, cuando me-

[203]

nos, como la realizada en los períodos históricos de mayor ebullición política.

He notado que cuando usted habla de la juventud actual prescinde igualmente de los muchachos que siguen la carrera de yernos, de los que ingresan en los *Luises*, de los escasos entusiastas del himno de Riego, y de los socialistas de corbata, para fijarse casi exclusivamente en aquella minoría, que se permite contemplar con despectivos ojos lo mismo la manía religiosa que el furor patriótico o el altruismo democrático y reserva sus alabanzas para los grandes hechos egoístas.

Hace usted bien. Cantar el *Trágala* o la *Marsellesa* no es cantar nada. Hacerse yerno cuando ya no hay destinos coloniales ni actas por Puerto Rico es errar el camino. Meterse a *Luis* para que le hagan a uno escribiente de cinco reales equivale a tapiarse el porvenir. Declararse republicano, acabado el republicanismo, es nacer muerto o morir, como ciertos niños recién nacidos, antes de ser inscritos. Y para que la carrera socialista pueda ser fructuosa, es antes necesario que se conviertan en jornaleros nuestros labriegos arrendatarios y que vistan de blusa los hampones señoritos de los pueblos.

Ésa es una juventud frustrada de antemano. Hace usted bien al despreciarla silenciosamente. Mas ésa no es toda la juventud española. Hay otra –a la que yo no pertenezco, para desgracia mía– que lucha cara a cara, trabajando en labor trascendente; no en el fugaz tejido de las ideas.

Es una juventud que se oscurece voluntariamente en el rincón de un escritorio, que no molesta pidiendo a voz en cuello vacaciones, que en lugar de jactarse fieramente de poseer aquellos clásicos «pechos de granito», bajo los cuales se escondía tanta debilidad, emigraba y emigra modestamente al extranjero, para aprender en el laboratorio de Francia, en la mina inglesa o en el taller germano a ganarse la vida primero, a asegurársela después, pero creando al mismo tiempo en nuestra España, aquí una industria, allá una casa, más allá un procedimiento de cultivo, y en donde quiera un pedazo de patria, que no es un fantasma histórico y libresco –la frase no es mía– sino mejor una olla de garbanzos, en la que hay que echar carne, mucha carne, si hemos de tener fuerzas algún día para hacer pedazos la olla, reemplazándola por otro artefacto, no menos útil, sí más estético.

Usted no ve esa juventud. Lo deploro: es ella la verdadera. Se hará *hombre*, porque sabe confundirse en el movimiento de las cosas. Usted no ve de esa juventud sino a los contados escritores, que cantan esta corriente que usted califica de burguesa y sanchopancesca, y al mismo tiempo anatematizan el espíritu hidalgo y justiciero, el desfacedor de entuertos, así lo encuentren en tan cumplido republicano como mi señor Nakens. Y para ellos son todas las censuras de su prosa robusta.

No les perdona usted su aparente carencia de ideales. No da usted en que su ideal es el inmanente, el verdadero, el intangible, el que perdura tras las revoluciones y las guerras: de la vida misma.

Así usted tilda de sensatos y fríos a los intelectuales que emplazan el salvador egoísmo por encima de la noción de la justicia.

Pues bien, no hay tal sensatez. Fuera *sensato* hablar de patriotismo para luego traicionar la patria; predicar desinterés para captarse un crédito negociable en el mercado de las recomendaciones; invocar el nombre de la justicia para cometer desaguisados en favor nuestro. Pero si de antemano calificamos el patriotismo –en su sentido arcaico, luego daré el concepto nuevo– de inferioridad intelectual, la justicia de noción perniciosa por lo huera y el desinterés de falso o de enfermizo, ¿cabe en nosotros mayor *insensatez*?

No hay tal frialdad. Eso no puede haberse meditado seriamente. La labor intelectual –intelectual, entiéndase bien–, de los enamorados de la vida por la vida, requiere algo más que entusiasmo; requiere una pasión desbordadora. ¿Estima usted baladí la empresa de cantar los hechos por sí mismos, dando de lado las razones de humanidad, progreso y justicia que ustedes necesitan para explicarse la sucesión histórica? Está usted en un error. Es común, efectivamente, vivir ajeno a tales entelequias. Los hombres sanos siguen naturalmente su ca-

[205]

mino sin cuidarse de otros códigos que de aquéllos en cuya sanción interviene la Benemérita Guardia Civil. No es que sean inmorales, ni morales: son amorales simplemente. Aunque al encumbrarse lo hacen, quieras que no quieras, pensando sobre el lomo de los que han quedado por debajo, no por ello se conduelen con dolor verdadero. Aunque al descubrir nuevos derroteros faciliten la marcha a multitud de seres, no se regocijan con regocijo íntimo. La alegría y el dolor por tales causas, más son efectismos de brindis de banquete que sentimientos nacidos de la entraña.

Eso es común, así es la vida. Los hechos se realizan sin sujetarse a fórmulas éticas –el retruécano se impone, fórmulas éticas, ¡fórmulas tísicas!–. De los fantasmas sólo los visionarios hacen caso.

Pero pensar así es ya empeño de monta. Para hacerlo impunemente hay que ser un MacKinley o un Chamberlain, y aun con todos los cañones de sus barcos no se atreven a completar su pensamiento. Grandes amarguras íntimas le costó su intento a Malthus. A Federico Nietzsche, el Redentor, el poeta que ha alcanzado en sus días de vislumbre la identificación de su pensamiento con su instinto, de su vida con la vida universal, le ha costado la empresa la pérdida de su razón, ¡la pérdida de su entendimiento prodigioso! No me diga, con el señor Sanz Escartín, que tales ideas sólo pueden conducir a la locura. Las ideas a nadie vuelven loco, sino la presión a que someten sus cerebros los intelectuales creadores. ¡Oh!... De seguro que no corren tal peligro ni el señor Escartín ni ninguno de los escritores que han dejado al Espíritu Santo el cuidado de pensar por ellos. No será, al menos, el esfuerzo de producir ideas nuevas causa que altere el regular funcionamiento de sus órganos intelectuales.

Pero usted, señor Nakens, alude a los enamorados del sucederse de las cosas, del Dios Éxito, a los que convencidos de la falta de objeto de la evolución humana –que ha de acabar con la destrucción inevitable del planeta– entendemos que la única finalidad de la naturaleza consiste en la producción de unas cuantas individualidades poderosas, y permítame que le repita que el adjetivo *fríos*

[206]

no está bien aplicado, no es preciso, no es exacto, no es serio.

No, señor Nakens, esos *sensatos* escritores no pueden trabajar en frío. Sin calor interior, ¡qué digo sin calor! dormitando puede escribirse en nombre de los que sufren, de los humildes, de la idea de sacrificio, del interés del mayor número. Así se escriben desde los fondos de los periódicos madrileños hasta las gacetillas de los semanarios ovetenses o ciempozuelos. Toda esa literatura de poco precio se emplea para sacar agua de la noria «Justicia». Y a usted, que es del oficio, no he de decirle que noto falta de entusiasmo. ¡Harto sabe cómo trabajan los tristes jornaleros de la prensa!

Especular sobre las cosas condenándolas o aplaudiéndolas en nombre de nuestra noción de la justicia no es un trabajo digno de Hércules; lo efectúa todo el mundo sin esfuerzo. ¡Cómo que todos los argumentos que el libro y el periódico nos incrustan en el cerebro desde que somos niños en la noción de lo justo descansan! ¡Cómo que hasta el naturalismo, al cantar la belleza y la fuerza hácelo en nombre de la justicia! ¡Cómo que se ha llegado por ciertas escuelas a establecer una antinomia entre la caridad y la justicia, sin pensar en que lo que se llama justicia para con los débiles es y será siempre, siempre, caridad –yo diría abdicación– del poderoso! ¡Cómo que todos los alegatos políticos y aun económicos se hacen invocando la justicia, aunque más tarde se nos revele su verdadero móvil! ¡Cómo que las escuelas filosóficas subordinan sus lógicas a esa tendencia!

Es una obsesión universal, una alucinación estupenda, de la que se reirán lindamente nuestros hijos, como yo me río en ocasiones, como no dejaría nunca de reírme si por tanto tiempo no me hubiera estorbado.

Porque yo también, señor Nakens, he sido víctima intelectual de la noción de la justicia. Recuerdo que hubo una época en mi infancia en que llegué a identificar la justicia con la vida. Uno se muere –pensaba yo– cuando nuestras buenas obras pesan lo mismo que las malas y cuando el número de placeres equivale exactamente al de los dolores. No me cabía en la cabeza que ciertas gentes vivan satisfechas física, moral y socialmente, mientras otras se mueren sin haber visto realizado ni el más ínfimo de sus anhelos.

Claro es que estas filosofías infantiles se desvanecieron, pero sin que por ello desapareciera la causa del error. Advertir –¿cómo no advertirlo?– que la vida no es justa ni injusta, pero si no encontraba la justicia, la *necesitaba*. Y la busqué ardorosamente, hasta bajo las losas de los sepulcros. Cuando me acometió la duda de Bartrina, la quise hacer reinar sobre los pueblos. Desde la teocracia hasta el comunismo ha recorrido mi pensamiento todas las farmacopeas, siempre con la balanza consabida, que jamás marcaba el fiel. ¿Y cómo iba a marcarlo si el fiel es quietud y la naturaleza movimiento?

Durante largo tiempo no he logrado explicarme esa obsesión ni ese trasiego doloroso de mi pensamiento, ¡obsesión y trasiego que han consumido tantos cerebros! Hoy me las explico; trataré de hacerlo en términos concretos. Sucede que al abstraernos para pensar sobre las cosas las vemos en estado de reposo y lo primero que de ellas se destaca es su aparente coexistencia armónica. Si nos imaginamos una habitación, una ciudad o un paisaje notamos que cada cosa ocupa su lugar, sin que choquen entre sí, sin que se entrelacen y sin que se confundan. De ello inferimos que la armonía y el orden es una ley anterior a las cosas. Y de ahí la noción de la justicia, ¿pues qué otra cosa es la justicia sino la armonía de las cosas aplicada a los hechos humanos, la coexistencia armónica de los hombres? De ahí nuestro desencanto al comprobarnos la experiencia que esa armonía no se realiza, de ahí nuestro ajetreo en busca de una fórmula que la realice, de ahí la *necesidad* intelectual de la justicia... ¿Por qué en los hombres no ha de efectuarse esa armonía que vemos en las cosas?

No pensamos en que ese reposo de las cosas es puramente imaginario y aparente. No advertimos que se están moviendo y que en ellas y dentro de ellas los átomos se juntan y disgregan con velocidad inaudita. No pensamos en que esa coexistencia armónica es una pura fantasía, un resultado de la imperfección de nuestros sentidos, incapaces, como las fotografías instantáneas, de seguir el movimiento en líneas continuas, y condenados a representárnoslo en una sucesión de facetas de las que al abstraernos no vemos más que una, que por ser una nos presenta las cosas en reposo.

Las cosas no se armonizan. ¡Buena está esa armonía, cuando, conforme al pensamiento del gran Nietzsche, cada minuto devora al precedente, cada vida es el resultado de infinitas muertes!, y si de esa brutalidad suprema, de esa danza macabra de los seres pudiera inferirse alguna ley fundamental, ¡sería la del asesinato!

Pero si las cosas no son armónicas así se nos presentan en la imagen que de ellas nos forjamos. Sólo así se comprende que la noción de la armonía –justicia en el-mundo ético– haya formado médula en el humano entendimiento. En algunos hombres se apodera violentamente de su espíritu y les sugestiona de por vida. Produce entonces esos tipos hermosos y originales, de los que salen los mártires de las religiones todas –la anarquista inclusive–, hombres poderosos y tenaces, de voluntad inquebrantable, de los que usted mismo, señor Nakens, es admirable y acabada muestra.

Por punto general, la noción de la justicia sólo intoxica la inteligencia, dejando que el instinto sea el árbitro de nuestra acciones, encaminadas, todas ellas, a la satisfacción de nuestras necesidades. Mas, desgraciadamente, la vida individual no es toda la vida humana: sino que la existencia colectiva, la de las nacionalidades, es otra de sus partes integrantes. Ciertamente que el origen de las naciones débese a otro instinto, el de asociación y defensa mutuas. Bismark ha expresado este pensamiento en una frase muy del agrado del señor Alzola; la base del patriotismo es el egoísmo nacional. Pero, a la vez, las naciones son entes de razón, fantasmas librescos –como dice mi amigo el señor Unamuno. Un estado es un compuesto en el que entran por partes desiguales el fantasma libresco de la historia y el instinto de asociación, de defensa y de empresa. En las naciones jóvenes –adviértase que no digo en los *pueblos* que son para mí eternamente niños– la razón histórica apenas influye en sus resoluciones. En las naciones viejas ese espectro de los recuerdos suele ahogar los impulsos del instinto. Obran en nombre de su razón histórica y de su noción de la justicia. ¿Cómo el pueblo de la Reconquista y del Dos de Mayo iba a dejarse arrebatar una colonia por unos mercaderes? La noción de la justicia nos llevó a la guerra. Por fortuna al acabar con la España histórica ha acabado consigo misma. Acaso no estorbará gran cosa en el empeño de hacer otra España a esa masa del pueblo que ha de hacerla.

Luego hemos de estudiarlo, mas por de pronto la noción de la justicia nos estorba a nosotros, los pensadores que especulamos sobre los hechos, saltando por encima de todos esos velos con los que se les obscurece la lógica a los investigadores de la armonía, de la justicia universal.

Y tanto nos estorba, que merced a ella nos está vedado trabajar con esa frialdad que usted nos atribuye. A nosotros, las nociones adquiridas, lejos de facilitarnos el camino, son otros tantos obstáculos que nos vemos obligados a franquear aunque perdamos el aliento.

Confieso que Max Stirner, Schopenhauer, Etiévant, Malthus, y sobre todo Federico Nietzsche dirigiendo sus lógicas hacia su instinto, nos han señalado el derrotero. Gracias a ellos la metafísica y la estética, la sociología y el derecho, la política y la filosofía de la historia, cuantas ciencias escapan al laboratorio, entran por nuevas vías.

Cuando Malthus proclama la necesidad de la miseria, y Schopenhauer identifica la voluntad y la vida, y Stirner exclama: «Me gusta, luego es bello», y Etiévant añade: «Lo quiero, luego es mío», y Nietzsche compara la pequeñez de nuestros raciocinios con la grandeza del instinto, «ese Señor omnipotente y escondido que vive en nuestro cuerpo, que es nuestro cuerpo», han perdido su hechizo todas las viejas fórmulas de nuestro saber especulativo.

La armonía y la justicia dejan de ser el objetivo de nuestras creaciones artísticas, de nuestras aspiraciones políticas y de nuestras disquisiciones filosóficas. Gracias a la labor de esos atletas del pensamiento el hombre vuelve a encontrarse solo frente a la bruta y ciega sucesión de los hechos.

Los valores sociales se invierten. Ya la personalidad

humana no es tanto más grande a medida que es mayor su resistencia contra la fatalidad. Esa grandeza es un espejismo; es negativa. Sólo produce el dolor y la muerte. El hombre, al contrario, ha de pesarse por el esfuerzo con que coadyuva al dinamismo de las cosas. La misión del artista es concebir una imagen que abarque en su desarmonía la mayor cantidad de vida. La del pensador fundir su lógica en el «devenir» de los sucesos. La del hombre de acción caminar al compás de los hechos. Así nuestra vida será más intensa, mayor; así nuestras imágenes, nuestros pensamientos y nuestros actos, no obstante, el automático mecanismo que los produce, nos parecerán originales y creadores; así el ensueño de creación que es el placer único, el placer por antonomasia, embellecerá nuestra existencia.

Ya ve usted que con ser tan grande y con valer tanto, la obra de esos pensadores se ha reducido a poner la primera piedra de un palacio, que será magnífico y suntuoso, pero cuyo plano desconocemos. Los iniciadores se lo han callado y cuando tratamos de interrogarles nos responden secamente. ¡Ahí queda eso!

Menos mal si contáramos con materiales a propósito para nuestra empresa. Fuera inútil empeño buscarlos en los estantes de las bibliotecas. Treinta siglos de labor intelectual han transcurrido casi en vano. Vale más el trabajo de la pesquisa que la arcilla que en los libros se encuentra. Hemos de arrancar nuestro granito de la roca viva de los hechos.

Menos mal si esa primera piedra estuviera asentada en cercano solar. Pero tampoco. Hállase en un islote, al que habremos de llegar a nado, acarreando nuestros materiales por el mar, por ese mar intelectual de tonterías, fórmulas hueras e ideas sin realidad, que forman en nuestro espíritu y agrandan incesantemente la conversación, el periódico y el libro.

Entre nuestro instinto intelectual y la visión de los hechos –esos hechos que queremos comprender con sinceridad e independencia– se interponen las nociones adquiridas, cada una de las cuales ocupa su lugar. Para pensar sobre las cosas hemos de remover incesantemente nuestro depósito de ideas recibidas. Lejos de efectuarse nuestra labor en frío requiere un estado de exaltación intensa, de convulsión frenética, de verdadera epilepsia.

Repare usted, señor Nakens, como esta juventud intelectual que no conspira, ni hace conspirar, que no organiza revoluciones, ni prepara barricadas, no por ello es sensata ni fría, en el sentido burgués que usted aplica a estos adjetivos. Los combates solitarios del pensamiento no son menos combates que los que en otros tiempos se efectuaban en la calle.

Mas no piense que yo intente adornarme con la aureola del martirio. En la obra intelectual no deja de cumplirse una ley semejante a la de Malthus. Si crece el esfuerzo en progresión aritmética, el placer aumenta en geométrica progresión.

La obra –ya lo he dicho– es espléndida y tentadora. ¡Que no arredren a nadie los obstáculos! La ocasión que a los españoles se nos presenta es admirable. Con la ruina de la España histórica, con el puntapié dado al derecho, con el naufragio de nuestras ilusiones nacionales, han desaparecido muchos de los tropiezos en los que hubiérase encallado nuestro pensamiento.

¡A la obra! Apliquemos al yunque de las ciencias especulativas y de la labor artística la fantasía mora, la claridad romana y la tenacidad goda. Al cabo de luengos siglos de duro batallar hemos llegado a desinteresarnos por la guerra, a contemplarla desde fuera, como un mero espectáculo. Esta situación de ánimo es magnífica para la creación intelectual. Aprovechémonos de la perturbación de los pueblos y de sus luchas interiores para especular sobre los hechos que el mundo nos ofrece.

La ocasión es única para que de España surja nuevamente la ley intelectual. Se nos ha puesto fuera de juego. Así podremos observar serenamente cómo se baraja el naipe.

Si ahondando en nuestras lógicas logramos que nuestro instinto llegue a confundirse con el movimiento de las cosas, habremos hecho una España intelectual tan grande como la España de los místicos o la España de Calderón y de Cervantes.

Y ahora veamos cómo ha de hacerse la otra España, la España de la producción y del trabajo.

CONTRA LA NOCIÓN DE LA JUSTICIA

Para D. Joaquín Costa

A tal extremo ofusca el pensamiento la noción de lo justo, que España entera cree imposible la obra de hacer patria, sin que previamente se realice una matanza «monstruo». Respecto de este punto están conformes los españoles todos, exceptuando naturalmente aquellos que, incapaces para vivir de su trabajo, se dejan mantener en el Asilo del presupuesto. Los revolucionarios a lo Nakens no conciben mejoramiento alguno, si antes no se ahoga al último carlista con las túrdigas del último cura. Los tradicionalistas de las distintas castas necesitan acabar con protestantes, liberales y masones si ha de restaurarse aquella patria en la que el sol (ni el hambre, vaya el paréntesis por cuenta propia) no se ponía en los dominios españoles. *Bizkaitarras* y catalanistas exaltados han de expulsar a *maketos* y castellanos para que las Vascongadas y Cataluña recobren una riqueza... que no han tenido hasta ahora. Los españoles a la antigua usanza no comprenden la existencia nacional, mientras los ejércitos castellanos no realicen, en las regiones eúskara y catalana, hazañas semejantes a las cometidas en Flandes por los tercios del duque de Alba y en Cuba por las huestes weylerianas, gracias a las cuales... el español que menos pide solicita el degüello de cuantas gentes han pasado por los ministerios, de veinte años acá.

[213]

...Y en la vida real no pasa nada, se surte el carlista del almacén del republicano, el contribuyente se entiende con el *cónsul* español para explotar unas minas que denunciara una infeliz... y las hidras consabidas no asoman por parte alguna los tentáculos. El Cid, señor Costa, está bien muerto, afortunada y definitivamente.

«Pero, señor –se dice la nación entristecida–, ¿es posible haber perdido media España sin que se levante la otra media contra los responsables? ¿Es posible que después de la catástrofe todo siga como antes, iguales ministerios, análogo raquitismo intelectual, idéntica quietud, la misma inconmovible pequeñez?»

Cuando los españoles se hacen estas preguntas el pesimismo les obscurece la razón y acaban por exclamar desconsolados: «Todo ha muerto, hasta el alma de la raza... ¡somos ya unos cobardes!» No es exacto. El espíritu de un pueblo no se pierde en treinta años. ¡Ojalá fuera así!... Nada hay tan despreciable ni tan idiota como el valor físico, que surge en trances de congestión o anemia cerebral, en ánimos de escasa flexibilidad de pensamiento. Es que si la noción de la justicia induce a los españoles el falso raciocinio de que a mayor número de desventuras corresponden mayores culpas, culpas que debieran purgarse con castigos ejemplares, un instinto superior a esas lógicas, el de conservación, les advierte la necesidad de acallar esos odios. Harto caros nos cuestan los anhelos revolucionarios y tradicionalistas para que vuelvan a resucitar. Entre unas y otras luchas la madre tierra yace abandonada. A pesar de la desamortización de los bienes del clero y de la desvinculación de los mayorazgos, apenas se cultivan las dos terceras partes del suelo que se labraba hace cien años, apenas se conserva una mitad del capital pecuario. Ése es el resultado del funesto y abominable Dos de Mayo, de la tragicomedia septembrina, de las luchas constituyentes, de las guerras civiles y coloniales. La herida aún sangra... No es con el fusil, sino contra el fusil como ha de restañarse.

En donde suele verse un amortiguamiento continuado de la vida colectiva nacional, una espantosa indiferencia, una parálisis progresiva, advertimos ahora un alejamiento de los partidos políticos, una ruptura con los frustrados ideales de nuestros padres. Ya no hablan de ello más que los empleados y los periodistas. «¡Horrible silencio!», gimen las prensas. «¡Silencio admirable!», exclamamos nosotros. Ha dejado de ser la cosa pública el tema principal de las conversaciones; más interesan los negocios privados. «¡Egoísmo mortal!» se dice. Mortal, en efecto, para los pastores que venían gobernando a los rebaños con incumplidas promesas de salud; mortal para los cojos, para los ciegos, para los impedidos, para los inútiles que agarrándose al cayado de los pastores vivían en la holganza de los destinos. Egoísmo salvador para las reses vigorosas, que son las que avaloran y acreditan una finca.

De ahí se parte.

Era de temer que el aislamiento de los malos pastores acarrea una dispersión general, en la que los egoísmos particulares se despedazasen unos contra otros, sin que fuera posible el acoplamiento de los intereses individuales en una colectiva aspiración. Ha mostrado la Asamblea de Zaragoza y la creación subsecuente de multitud de Cámaras de Comercio y Centros de Labradores, que el instinto de asociación y de defensa mutua prevalece sobre los escombros de las caducas agrupaciones políticas.

Por ahí se va.

Fuera sensible que estos preciosos síntomas de renacimiento quedaran reducidos a débiles gritos vaginales, faltos de un cerebro poderoso que supiera hacer de ellos la fortísima voz de una nación. Fuera igualmente triste que, ante el silencio universal, se apagaran los clamores individuales, como en las arias de las óperas italianas acaban las imprecaciones del tenor en gorgoritos de pájaro parlero y en *pianissimos* de sonido inapreciable. Prueba la reputación alcanzada por usted, señor Costa, que no anda la nación completamente ayuna de hombres buenos y que no cierra sistemáticamente los oídos al consejo.

Por ahí se sigue.

Pero..., ¿se llega por ahí?

Era hasta ayer el señor Costa hombre desconocido para España. Su labor intelectual no traspasaba las bi-

[215]

bliotecas de los eruditos. Los encomios de las revistas extranjeras no acertaban a formar en torno suyo la aureola del renombre. Su extraña divisa de «política hidráulica» era acogida con sonrisas de desdén.

Y con todo, han bastado un discurso y media docena de artículos para que se vengara de este olvido, creándose en pocos meses una fama que para sí quisieran muchos prohombres y aun jefes de partidos.

No es milagroso el hecho. Hase alzado la voz del señor Costa en el momento crítico en que la nación necesitaba oír a alguien, cuando la violencia del desastre nos hizo a los españoles mirar con angustioso espanto el porvenir.

Habló el señor Costa y habló tristemente, mas su tristeza no la causaba la desaparición de una leyenda; su tristeza no fue la pasajera del vencido ansioso del desquite, sino la íntima y permanente tristeza española, la de la tierra yerma, sin jugo y sin verdores, la de la estepa abandonada, la de nuestro labriego inerme, frente al capricho de un cielo, que hoy amenaza agostarle el pan del año y mañana le arrebata cosechas y viviendas al primer temporal.

Acertó el señor Costa a colocar junto al dolor fugaz de la derrota el secular de nuestras tierras altas, y ante su gallardía y elevación de espíritu, exclamó nuestro pueblo: «¡Por fin se me habla en lenguaje sincero!»

Trazó el señor Costa el cuadro de redención sin apelar a los viejos colorines de libertad y de orden. Frente a los espíritus ensombrecidos hizo desfilar la visión mágica de unas praderas esmaltadas de flores, a las que vuelvan los emigrantes esparcidos y errabundos por el orbe, en las que se levanten los embargos y se cancelen las hipotecas, en las que asciendan a villas aldeas y a ciudades las villas, en las que industrias de todos géneros se creen sobre los saltos de agua. «¡Ésa es la nueva España!» díjose nuestro pueblo cobrando ánimos.

La realización de estos ensueños no la pedía el señor Costa a una revolución ni a un pronunciamiento, sino a una noción de ingeniería; a la «hidráulica». Y pensó España: «he aquí a un hombre nuevo».

[216]

¿Un hombre nuevo?... No del todo. Junto al gran enamorado de la tierra, hay en el señor Costa un hombre de la añeja levadura de nuestra política romántica. No se es en balde orador, literato y abogado,como lo fueron los constituyentes del año 12 y del 69, sin que esas profesiones o aptitudes deformen en la mente la visión de los hechos. Ha podido ver claro el señor Costa al señalar el mejoramiento de nuestro suelo como ideal permanente de la patria. Necesitamos –¿cómo dudarlo?– una tierra más rica, que nos sonría con verdores más intensos, que nos premie con una vida más feliz.

Pero el literato, el orador y el abogado tenían que despuntar por algún sitio. Así acopla al adjetivo «hidráulica» el sustantivo «política». Así anda el señor Costa persiguiendo la formación de un nuevo partido que alcance, excepcionalmente, la virtud de agrupar en torno suyo a «las clases productoras». Así sueña con un Gobierno que presida paternalmente la obra magna de repoblar y enriquecer nuestras mesetas. Así aspira, como si la «noción de justicia» y la ley de la compensación no fueran antojos de nuestra fantasía y sí realidades inmanentes, a que se industrialice nuestro suelo en principal provecho de los agricultores, por constituir la clase más duramente castigada por las guerras y malandanzas nacionales.

¡Utopía y siempre utopía! Si se lo propone de verdad el señor Costa, no le será difícil la constitución de un nuevo partido, con Comités en pueblos y ciudades y hasta con su directorio en la capital. No faltan en España ocho o diez mil aspirantes a caciques o a empleados, hartos de esperar el advenimiento de la república y de don Carlos y dispuestos a irse no tan sólo con el señor Costa, sino hasta con el mismísimo caballo de Santiago. En esa plaga de tullidos que anualmente vomitan nuestras escuelas y universidades hay personal bastante para rellenar los encasillados de otra docena de partidos. Lance el señor Costa su programita de Gobierno y al punto verá afluir las adhesiones. ¿Quiere un partido como los actuales? No necesitaba romperse la cabeza estudiando la estructura del patrio suelo. Con un par de escribientes para responder cartas y un periodiquín que

[217]

le defienda tiene ya lo bastante. Si además de esto no le faltan aldabas en palacio y adquiere su nombre un valor «ministrable» han de sobrarle monaguillos que le inciensen. Pero no ha de seguirle ni un solo hombre de posición o pensamiento independiente. ¿Cómo ir al lado de esa hampa mendicante?

Doy de barato que llegue el señor Costa al Ministerio de Fomento, que llegue conservando su realeza intelectual desligado de pactos, libre de compromisos personales, sordo a los gimoteos del paisano que le pida un destino, a las súplicas de la viuda que interceda por sus hijos. Quiero suponer que la elocuencia del señor Costa obrara el milagro de sacar de su retraimiento a nuestras clases conservadoras. Más aún. Admito que ante los prestigios del pensador aragonés aflojen los capitalistas los cordones de la bolsa. Veo al señor Costa ministro de Fomento, concertando un empréstito de mil millones, para canales de irrigación, sobre la base de los tributos que han de imponerse en las tierras fecundadas por el agua. Échanse a vuelo las campanas de los pueblos y los epítetos rimbombantes de la prensa. Proclámase al Mesías en la persona del reformador secretario de la Corona, y el señor Costa, fuerte en su empréstito y en sus prestigios, comienza la tarea.

... Se cierne sobre la millonada la chusma infame de nuestras direcciones generales, gobiernos civiles, cacicatos de región y de distrito, delegaciones de Hacienda, juzgados, audiencias, escribanías, registros de propiedad, notarías, bufetes, alcaldías, diputaciones, subagencias, empleados, cesantes, huérfanos, procuradores, alguaciles, curas castrenses, bedeles, periodistas, usureros y demás alimañas, que sobrevivirán, probablemente, al advenimiento de don Joaquín Costa. Brotan a centenares los «hidráulicos», lo mismo de los ojos del Guadiana y de las crestas del Moncayo, que de los bastidores de Romea y de Eslava. Este cacique solicita por medio de los ministros de tal y cual que vaya un canalito por su finca –situada a cien kilómetros del río. Aquel joven se contenta con un modesto empleo de capataz, que no le impida vivir en Madrid. (Firma la petición la archiduquesa de Moravia, señora archipotente). Los pobrecitos padres calzados que tienen su convento en la meseta de una sierra, demandan, por medio del arzobispo de Benisicar y del confesor de otra señora, que, aprovechando el río que corre al pie del monte, se les «suba» un ligero ramalillo. Entáblanse varios miles de pleitos, a propósito de expropiaciones, entre los dueños y abogados de terrenos y el Ministerio de Fomento, en los que entiende el Consejo de Estado y el Tribunal de lo contencioso.

Costa, impertérrito ante la influencia del valido y ante el sollozo del humilde, decide hacer justicia. Nómbrase una lucida comisión técnica que estudia y resuelve cada caso concreto. Frente al viril ministro se levantan los despechos y desaires. Hoy es un compañero quien se permite una broma inofensiva contra el «ensueño» hidráulico. Mañana un periódico quien desliza una insinuación mortificante. Al siguiente día una audiencia se deja querer por un cacique y falla contra el Ministerio un pleito de expropiaciones. Costa, solo contra todos, procesa a los magistrados, denuncia los móviles de la campaña que contra él se hace y logra, al cabo, que las obras comiencen en serio. A los seis meses gira una visita de inspección minuciosa. Aquí los ingenieros y capataces continúan «tomando sus medidas». Allí figuran en nómina trescientos jornaleros que no trabajan. Allá la extracción de cada metro cúbico de tierra cuesta igual volumen de oro... A la postre, de no empuñar el señor Costa la lanza del Cid Campeador, ha de rendir sus aspiraciones ante la holganza, el latrocinio y la miseria generales.

....

¡Basta de utopías!... La España nueva no ha de hacerse por los gobiernos; no incumbe a la política la capital empresa de mejorar la condición de nuestro suelo. Fuera hermoso que, como quiere el señor Costa, al realizarse la irrigación del territorio por un Gobierno paternal, rellenáranse de oro las fajas de nuestros labradores, eternas víctimas del cielo, de la tierra y de la codicia y furor bélico de los hombres. Pero la industrialización del patrio suelo es, ante todo, un gran negocio. ¿Quién duda de que las nuevas Indias, y consiguientemente la nueva España, están en esas llanadas hoy estepas, en esos montes preñados de minerales, en esos ríos que se pierden miserablemente?... La explotación de esas riquezas corresponde a los hombres de negocio... ¡Ellos han de explotarlas, señor Costa, sin acudir a la formación de otros partidos!

Y entonces, se me pregunta, ¿nos van a gobernar siempre estas gentes?... Y yo me digo, ¿qué más da éstas u otras?... El hombre público que no es venal para sí mismo, ha de serlo en las personas de sus amigos... y si no tiene amigos no ha de ser hombre público. Gobierne quien gobierne, la Administración pública española será corta de piernas y larga de manos. El interés de nuestras clases conservadoras está en cerrar las cajas y en arrear la máquina. ¿Que no puede hacerse nada sin las bayonetas?... ¿Acaso necesitaron del ejército los industriales catalanes y vizcaínos para impedir la consumación del tratado de comercio concertado por el señor Moret con Alemania?... Esas clases conservadoras son las que pagan los derroches del Estado y de los políticos. A nadie engaña el falso aserto de que las contribuciones son satisfechas por los pobres. Los pobres ganan siempre –en tiempos de bancarrota y de bonanza– el mínimum de salario imprescindible para la conservación de la masa obrera. Las clases conservadoras se hallan interesadas en poner coto a la malversación de sus caudales. Cuentan con poderosos medios de asociación y de defensa. En su mano está emplearlos con acierto, captándose el auxilio de la prensa y aprovechando la competencia de los hombres públicos.

Y, entonces, ¿son inútiles los esfuerzos realizados por hombres de la talla del señor Costa? No hay esfuerzo inútil. *La conquista del pan*, ese Evangelio de la utopía anarquista, no ha logrado abolir el imperio de la ley y de la autoridad sobre los hombres. Pero como hay en ese libro un magistral estudio acerca del cultivo intensivo de la tierra, las ideas que contiene han sugerido iniciativas provechosas. Cuento entre mis amigos a un hortelano de Brooklyn que debe sendos *dollars*, a la mística obra de Pedro Kropotkine, porque ella le infundió el pensamiento de modificar su sistema de labranza. Hoy mismo se agita en Vizcaya la idea de canalizar el Duero por la parte de Zamora, a fin de crear una gran fábrica de fuerza eléctrica y de convertir en una huerta cuatro o cinco leguas de terrenos. ¡Siga, siga Costa estudiando el patrio suelo para demostrarnos las ventajas del partido «hidráulico»!... No ser hará tal partido, pero sus estudios desarrollarán multitud de negocios, apenas acaben de desvanecerse los recelos de una guerra civil o de pronunciamientos y revoluciones.

No por virtud del desengaño y de la derrota, sino por la fuerza misma de las cosas vamos *hacia otra España*, de suelo más fecundo y vida más feliz, que han de crearnos los capitales muertos. No aprovechará a los actuales labradores, que se convertirán en jornaleros de extrañas propiedades. Tampoco ha de realizarse esta transformación en beneficio de la bohemia bien vestida que sale de la Universidad y de las escuelas. Aunque no logren otra cosa las clases conservadoras en su combate contra el Estado, lograrán, cuando menos, poner una valla al acrecentamiento sistemático del número de empleos, acrecentamiento proporcional al de aquella bohemia. Seguirá ésta disputándose los destinos de mil pesetas, pero ha de resignarse en buena parte a cambiar el sombrero por la boina. El caso de los dos abogados que, recientemente, ingresaron en un taller como aprendices de tallista, se repetirá miles de veces... ¡Tanto mejor!... No formarán en las filas de los inútiles, no mostrarán como hoy, con los deslucidos arreos señoriales, más que el estigma del vicio, la huella del hambre.

Cumple a los escritores, en esta gran transformación, un papel importante, ya que no de primer orden. Ellos han de dulcificar la inevitable caída de las no adineradas clases medias, –el desengaño doloroso de aquellos padres de encallecidas manos, que soñaban hacer señoritos de sus hijos, consumiendo en carreras la totalidad de sus ahorros, y de aquellos otros padres de familias arruinadas que sólo ansiaban «mantener el rango» –anatematizando sin tregua el histórico espíritu de hidalgos, colocando frente a los ávidos ojos del cesante el cocido que come el albañil al pie del andamio.

Otros escritores han de atizar la natural inconformidad con el salario. En los obreros procedentes de las clases medias, sobrios por necesidad y refinados por temperamento, aristócratas y revolucionarios a la vez, encontrarán auxiliares y público... Una vez iniciada la industrialización del suelo –fuente eterna de brazos para las industrias– habrá que mejorar la alimentación obrera y las condiciones de trabajo, si el capital no ha de comerse los propios músculos que lo engordan y reproducen.

¡Basta de Tenorios y Cyranos! Déjense los escritores de glorificar a los chulapones callejeros, hijos legítimos de aquellos tipos haraposos, entrampados, truhanescos, hambrientos y flacuchos que retrataron nuestros clásicos. Las mujeres prefieren los hombres bien nutridos a los *golfos* escuálidos –y a los poetas decadentes. Déjense de colocar en los altares al anciano «experimentado», al amante sin pan, al infeliz víctima de su «honra» y al arrapiezo anémico. Déjense de endiosar el llanto, siempre estúpido, el desengaño siempre ridículo, el desaliento siempre bufo. Estamos hartos de oír las letanías de los tullidos cuando van por la calle con su eterno: «Abran paso, señores, que todos somos hermanos.» Basta, basta de la moral de los tullidos. Encerrémosla con llave en el Ministerio de Estado. Oficiemos de mendigos para con las otras naciones. Usemos para casa de ideas más higiénicas. Si en los pueblos sanos surge de propio impulso la moral de los fuertes, ésta a su vez conserva y agranda la salud de los pueblos.

Guárdense igualmente de imitar a los literatos hoy de moda –hermanos intelectuales del megaterio– que se hacen ascos de la moneda y luego lo imploran a dos manos. Cuando sobre la espada del militar, sobre la cruz del religioso y sobre la balanza del juez, ha triunfado el dinero es porque entraña una fuerza superior, una grandeza más intensa que ninguno de esos otros artefactos. ¡Torpe quien no la vea! Cantemos al oro; el oro *vil* transformará la amarillenta y seca faz de nues-

tro suelo en juvenil semblante: ¡el oro *vil* irá haciendo la otra España!

Fundamos nuestro espíritu en el movimiento de las cosas, si no hemos de entorpecerlo... ¡Que no estorbemos los escritores!... ¡Que no sea obstáculo el ruin espíritu de la patria vieja al advenimiento de la nueva!